音频升级版

美国金宝贝早教
婴幼儿游戏

0~3岁

[美] 温迪·玛斯 ◎主编

[美] 罗尼·科恩·莱德曼 ◎主编

栾晓森　史　凯◎译

U0239739

北京科学技术出版社

著作权合同登记号　图字：01-2017-6406

图书在版编目（CIP）数据

美国金宝贝早教婴幼儿游戏 ／（美）温迪·玛斯，（美）罗尼·科恩·莱德曼主编；栾晓森，史凯译 . —北京 ： 北京科学技术出版社 ，2019.8（2023.5重印）

ISBN 978-7-5714-0278-5

Ⅰ . ①美… Ⅱ . ①温… ②罗… ③栾… ④史… Ⅲ . ①游戏课－学前教育－教学参考资料 Ⅳ . ① G613.7

中国版本图书馆 CIP 数据核字（2019）第 074707 号

策划编辑：赵丽娜	电　话：	0086-10-66135495（总编室）
责任编辑：赵丽娜		0086-10-66113227（发行部）
责任校对：贾　荣	网　址：	www.bkydw.cn
图文制作：天露霖	印　刷：	北京宝隆世纪印刷有限公司
责任印制：李　茗	开　本：	787mm×1092mm　1/20
出 版 人：曾庆宇	字　数：	223千字
出版发行：北京科学技术出版社	印　张：	18
社　址：北京西直门南大街16号	版　次：	2019年8月第1版
邮政编码：100035	印　次：	2023年5月第10次印刷
ISBN 978-7-5714-0278-5		

定　价：98.00元

特别安全提示

在"金宝贝",我们鼓励父母要积极、主动地与孩子玩耍。但是当你和宝宝享受书中游戏带给你们的快乐时,请你务必将宝宝的安全放在首要位置。虽然我们设计的这些游戏已经尽量将宝宝受伤的危险降到了最低,但"金宝贝"还是建议家长尽可能排除一切隐患,保证宝宝的绝对安全。

为避免宝宝发生意外,请家长务必遵守以下原则:在尝试本书推荐的所有游戏时,绝对不能让宝宝在无人看护的情况下独自玩耍,哪怕时间很短也不可以;在进行涉水游戏时要特别小心,避免宝宝呛水;不可以让宝宝将小件物品放进嘴里(即使是图片中出现的小物品),因为这可能给宝宝带来生命危险——宝宝很可能因此窒息;给宝宝使用的蜡笔、铅笔和其他书写或绘画工具必须是无毒的,而且要适用于3岁以下的婴幼儿。

书中介绍的游戏都列明了推荐玩耍的适宜年龄段,但在做游戏前家长仍需视宝宝的个体情况而定,因为每个宝宝的能力、平衡感和灵活度的发展程度都是不同的。

虽然我们已经尽了最大努力来保证书中信息的准确性和可靠性——这些游戏都是十分可行的,只要家长按照书中的指示正确操作,基本就可以保证宝宝的安全。但如果家长未能严格按照书中介绍的内容操作并在游戏过程中因不当操作和应用而引发意外,"金宝贝"对此将不负任何责任。

目　录

30 个月
2 ½
及以上

前言

温迪·玛斯　　罗尼·科恩·莱德曼博士

宝的降生是件令人激动而又惊奇的事情。新生儿看起来是那么的柔弱娇小，但事实上他是一个具有一定能力的、复杂的独立个体。从呱呱坠地的那一刻起，婴儿就具有视觉、听觉和嗅觉，而且还对触摸有反应。事实上，婴儿的听力在母亲的子宫中就已经相当成熟了，所以他一出生就可以分辨出母亲的声音。从宝宝第一次深情地注视着你的双眼、转头去寻找你的声音或紧紧依偎在你怀中时起，他就想让你知道他是多么渴望你的爱、多么需要你的关怀。

在过去的 30 年里，我们一直在研究婴幼儿的成长发育、家长如何陪婴儿做游戏、婴儿如何与家长交流沟通——我们非常喜欢这项工作。就我们两个人而言，我们两个家庭共孕育了 6 个孩子，这令我们强烈地意识到父母的角色可以给我们的生活带来很多挑战、快乐和骄傲。我们发现，大部分家长对孩子的期望都是一样的：希望孩子一生幸福而且能够过得充实。我们也发现，有很多不同的路都可以引导我们到达这一目标。

我们坚信，合理的家庭教育、良好的亲子关系和寓教于乐的教育方式对早教效果有非常大的影响。近年来，越来越多的科学研究显示，儿童在幼年时期的体验会对其大脑的发育产生强烈的影响，这一研究结果让我们更加坚定了自己的信念。宝宝刚出生时，其大脑的发育程度只有 25%，但当宝宝 3 岁时，其 90% 以上的大脑发育都已经完成。为了让宝宝发挥自己最大的潜力，家长需要为其提供各种丰富有趣的学习体验。

"金宝贝"是美国最优秀的早教育儿

中心，提倡"有目的地玩"，从而让家长明白，原来游戏才是婴幼儿最重要的学习渠道。通过各种游戏和实践活动，宝宝多方面的能力，比如语言表达能力、解决问题的能力、社交能力都会得到发展。而这种寓教于乐的游戏式学习方式对家长也是很有帮助的。有什么能比宝宝第一次向我们伸出小手带给我们的那种欣喜更令人难以忘怀呢？有什么能比看着宝宝"随乐起舞"带给我们的欢乐更令人欢欣鼓舞呢？有什么能比宝宝第一次模仿我们拍手带给我们的快乐更令人激动不已呢？

本书是"金宝贝"的游戏和音乐项目（Play & Music）为家长们奉送的宝贵资源，书中汇集了大量的游戏和歌谣，可以将你和宝宝的互动提高到一个全新的水平。家长与宝宝的互动有助于宝宝的身体、情感和认知的发展，而且——最重要的是——有助于建立亲子间的感情纽带。家长是孩子人生中最早的，也是最重要的老师、伴侣和玩伴。让我们为宝宝的每次积极探索而鼓掌，让我们为宝宝的每个进步而欢呼，让我们在游戏的欢乐气氛中与宝宝共享这短暂的婴儿时光，从而为宝宝缔造一个灿烂辉煌的人生起点！

Wendy Masi

温迪·玛斯

Roni Leiderman

罗尼·科恩·莱德曼

寓教于乐

宝宝刚刚出院回家后，年轻父母们的脑海里多半都是些很实际的问题：怎样照顾宝宝才能让他吃饱穿暖？那一大堆尿片和衣服该放在哪儿？那些婴儿背带、汽车安全座椅和婴儿车到底该怎么用？还有，已经荣升为父母的你什么时候才能好好地睡上一觉……

在照顾宝宝方面，作为家长的你需要全身心地投入，因为这关系到小宝宝如何生存下去。但是，当宝宝的基本需求得到满足后，即使是那些非常年幼的宝宝也会有更高级的需求——这样宝宝才能更好地发展——那就是与照顾他的人之间进行温馨而有趣的互动。

爱和信任产生于幼年的游戏互动过程中。

近年来，有很多研究都显示，儿童的自尊心以及与他人建立亲密情感关系的能力在很大程度上都取决于他们和父母之间的关系。亲密而充满爱意的游戏可以大大增进这种亲子关系。事实也的确如此，对那些还没有上学、不会读书，也不会看电视纪录片的小婴儿来说，游戏就是他们学习的主要途径。

对宝宝而言，在婴幼儿时期与家长之间的互动对他的一生都很重要。这其中，宝宝出生的第一个年头又尤为关键，因为他在这一年的收获是最大的。研究人员估计，人类大脑50%的发育是在半岁前完成的，70%是在1岁前完成的。虽然儿童的大脑发育情况会受到遗传因素的影响，但他们日后的智力、情感和身体发育水平在很大程度上都取决于其幼年时期受到的刺激的数量和程度。

和婴儿做游戏

婴儿最初并不知道毛绒玩具抱起来感觉很舒服，不知道捉迷藏是多么有趣，不知道将一个杯子里的水倒进另一个杯子里其实并不容易，更不知道玩具风车转动的时候会发光。将这些游戏和玩具介绍给你的宝宝，同时奉上你的关心、欢笑和鼓励，然后与宝宝一起探索游戏的

一个能够令宝宝放声欢笑的游戏可以成为小家伙童年快乐的记忆。

奥秘、分享游戏的乐趣。通过做游戏还可以告诉宝宝，他已经进入了一个充满欢笑和乐趣的奇妙世界。

在宝宝出生的第一年里，家长的另一个任务是要让宝宝成为一个独立的个体。游戏——即使是那些"刺激感官"的游戏——并不是填鸭式的学习，而是要让宝宝尽情地释放自己的天性，从而知道他喜欢什么不喜欢什么，他对各种刺激的忍耐程度和接受能力。有些宝宝很喜欢被家长抱着摇来摇去，有些宝宝对此却会强烈抗拒；有些宝宝喜欢让家长追着自己在屋中四处奔跑，有些宝宝却会被这种行为吓到。为了取得最好的游戏效果，家长应当留心宝宝的反应，让他成为游戏的主导。

宝宝们的日常生活规律各不相同，休息和游戏时间以及注意力集中和分散的时间也不同。比较激烈的游戏活动——比如拍打玩具、滚球、唱歌或爬高——适合在宝宝很清醒、接受度比较高的时候进行。比较温和的游戏——比如观察树影、听歌、看书——则更适合在宝宝不那么活跃的时段进行。这两种类型的游戏对宝宝来说都很重要，作为家长关键是要掌握好玩游戏的时机。

自发性可以令游戏更加有趣、更具效果，这样你随时都可以发现适合做游戏的机会。在给宝宝换尿布的时候，家长可以顺便和他玩一玩捉迷藏游戏——这样宝宝就可能不再扭来扭去；拖地的时候用背带将宝宝背在身上，这样原本枯燥的家务活就变成了双人舞；准备外出的时候可以和宝宝玩一玩"我要抓住你了"的游戏，这样可以让你们更快出门——也会有更好的气氛；驾车出门的时候可以放声歌唱，这样可以缓解宝宝的不安情绪，让他完全放松下来，甚至咯咯地笑个不停。

给宝宝换尿布的时候顺便玩玩捉迷藏游戏，从而让例行活动时间变成游戏时间。

本书中的游戏是以时间顺序排列的，按照婴儿发育的阶段性，我们将每3个月分为一个年龄段。年龄段的划分只是一个指导原则，因为婴儿之间的发展差异非常大。

0月龄及以上

乍看之下，新生儿似乎什么都做不了。但是，你怀里的这个小家伙其实正在通过所有感官从周围的环境吸收大量信息。在刚出生的几个月里，宝宝的肌肉控制能力也会稳步增强。2个月左右，他紧握的小拳头会开始放松。很快，他就会试着用手去拨弄物体。这一阶段的游戏重点其实并不在于玩，而在于感官探索—提供各种素材给宝宝看、听和触摸。

3个月及以上

宝宝在出生3~6个月的时候，会尝试着控制周围的世界，尽管他采用的方法看起来还很稚拙。宝宝已经不再是什么都不会的新生儿了，他现在更加强壮，也更活泼。他会伸出手将自己想要的东西拉到身边，然后将其翻来倒去、丢弃、晃动或是放进嘴里—这些都是宝宝探索世界的方式。这时，游戏对宝宝来说不仅是一种娱乐，更是一种学习和体验—做游戏可以开发宝宝的各种基本技能和自我意识。

6个月及以上

6~9个月的宝宝是迷人的社交高手，他会用笑声、呼唤声和微笑来吸引人的注意或唤起别人的某种反应。大多数情况下，这个年龄段的宝宝还很好动，他会在地上匍匐前进、用四肢爬行、来回翻滚、趁家长不注意的时候躲起来或者站起来去拿自己想要的东西。这个年龄段的婴儿会慢慢开始理解物体的恒存性—即使某个物体或某个人从我们的视线中消失，也并不意味着这个物体或人从世界上消失了，他们仍然存在于我们的视线之外。这样宝宝才会玩捉迷藏和其他的藏物游戏。

9个月及以上

我们可以将宝宝出生后的第9~12个月贴切地称为"前学步期"阶段。1岁时，即使有些宝宝还没有学会走路，他们的外表和动作也已经很像学步期的幼儿了。这一阶段最受宝宝欢迎的是那些可以锻炼他大运动能力的活动—爬行、用手臂的力量支撑身体、蹒跚前进或攀爬，因为加强活动能力是宝宝这个阶段的主要目标。此外，精细动作能力的发展对他也同样重要，宝宝会耐心地翻书或将书一本本地堆起来。对很多宝宝来说，这还是他们"自己动手"阶段的开始。

和幼儿做游戏

对幼儿来说，游戏是自然而然的事情，做游戏似乎只是单纯的快乐体验。所以作为成年人，我们很容易忽略游戏所能带给我们的诸多益处。但是，无论是对宝宝的情绪、身体发育还是智力发育，游戏都有着深远的意义。通过游戏，宝宝可以学会很多必备的技能——如何与人交流、如何识数及计算、如何解决难题等。宝宝可以通过扔球游戏或爬滑梯来发展身体的大运动能力，还可以通过用刷子或彩笔涂涂画画来发展身体的精细动作能力。当宝宝拿着玩具电话假装与别人聊天或者对着镜子给自己的小脑袋扣帽子时，他们的想象力便会激增。而

一串泡泡就是一个快乐的魔法——同时它还会告诉宝宝原因与结果之间的关系。

当宝宝听故事或者绞尽脑汁说出自己的喜好时，他们的语言能力又会得到提高。宝宝和小伙伴、哥哥姐姐、弟弟妹妹、爸爸妈妈以及其他人所玩的每一个游戏都会让他们知道该如何与他人相处，如何遵守一些既定的规则。全神贯注地玩游戏会让宝宝学会应该怎样集中精力、怎样坚持不懈。

游戏为我们开启了一扇可以了解宝宝性格的窗户，而和他们一起做游戏——或者看着他们和别人玩耍——又可以使我们更快地了解宝宝是如何应对阻碍、承受失败、面对成功的。同时你还会看到，宝宝表现出来的独特的幽默感以及他们逐渐养成并逐步提高的社交能力。宝宝在游戏中的行为举止能显示他们的情绪、聪明才智和其偏爱的学习方式——也许你的孩子对语言指令反应积极，也许他对视觉图像十分敏感，也许他最擅长从自己亲自动手的体验中获得信息……

游戏为你提供了一个很棒的机会，它可以加强你和宝宝之间的联系。宝宝情绪平静的时候，你可以把他抱在怀中慢慢翻看图画书，也可以带着他一块儿搭建一座精巧的积木塔，类似的游戏会带给你们一种温馨、亲密无间的感觉。如果宝宝比较兴奋，甚至还会吵闹，那你不妨和他玩一玩捉迷藏或者掷豆子的游戏，类似的游戏能够向宝宝传递这样的信息——爸爸妈妈不仅关心、爱护他，而且还会陪他快乐地玩耍。当你想要教宝宝学习新技能并打算在之后表扬他为之付出的努力时，你一定要让宝宝

本书中的游戏是以时间顺序排列的，按照幼儿发育的阶段性，我们将每 6 个月分为一个年龄段。年龄段的划分只是一个指导原则，因为幼儿之间的发展差异非常大。

12 个月及以上

1岁的宝宝不论是只能手脚着地爬行，还是已经可以双脚站立行走，他们都很享受自己新掌握的运动能力，因为这可以满足他们对周围世界的强烈好奇心。在这个阶段，宝宝的大运动能力已经有所发展，他们能稳稳地捡起小物体、能搭几块积木。他们喜欢一边听爸爸妈妈的声音，一边看故事书或者哼唱儿歌。他们能理解很多词语、能回应简单的指令，还有很多宝宝已经能说一些简单的词语啦！

18 个月及以上

这个年龄段的宝宝的意志很坚定，他们会四处探索、摸摸这儿动动那儿，不管看到什么东西都想尝尝味道，为了弄出响声还会将东西摇一摇、晃一晃或者将其扔在地上滚来滚去。在这个阶段，宝宝不断发展的大运动能力已经相当完备，走路、跑步、攀爬都不成问题。同时，精细动作能力的发展也足以让宝宝能够自己用勺子吃饭、扔起皮球。他们做游戏时喜欢用手摸玩具，从而感受其触感。此外，还能通过摇晃身体来表示自己对音乐的喜爱。这时的宝宝大多已经掌握了十多个词语，而且经常还能说出由两三个词组成的短语。

24 个月及以上

到了这个阶段，宝宝的力量、灵活性和平衡能力会得到进一步加强：他们能拧开瓶盖，类似动作的完成展示了宝宝精细动作能力的不断发展。在此阶段，宝宝对音乐的热情依然高涨，而且在欣赏音乐的同时他们还会发挥自己的想象力。很多宝宝喜欢和同龄人在一起，虽然他们不会一起做游戏，但是他们喜欢一个挨一个地坐在一起并各自地玩耍。2岁的宝宝大约已经能使用200多个词汇了，而且还会开始说一些简单的句子。

30 个月及以上

宝宝又长大了一些，他们开始喜欢更加复杂以及能够拓展其运动能力的活动，比如跑、跳、骑三轮童车、玩老鹰抓小鸡游戏。在这个阶段，宝宝的精细动作能力会继续发展，比如他们会拿着彩笔或画笔涂涂画画。此外，宝宝的注意力保持的时间也会变长，因此他们往往会表现出对分类整理游戏的热情。在此阶段，宝宝的语言表达能力也会突飞猛进，而且能理解抽象概念，甚至会自编自演一连串异想天开的小节目。

仅仅是几个橡皮球就能教会宝宝距离、形状、"大"和"小"等概念。

相信，你会一直给予他支持，鼓励他更进一步——无数的研究早已证明，只有在充满爱和支持的环境中，孩子才能学得更好、更快。说了这么多，作为家长，如果能变身为宝宝热情的游戏伙伴，就能为其营造一种特别的亲密感，这种感情将伴随宝宝的一生。

准备，各就各位，游戏开始！

　　本书为原本结构松散的游戏提供了准则，相应的指令也绝不生硬——只是作为一种基本指导，家长可以根据宝宝的兴趣和喜好进行调整。作为家长，你只需把一切准备好，然后站在一旁，让宝宝自由探索，并让其按照自己的愿望去尝试不同的方法。这一点很关键，有助于鼓励宝宝独立完成任务、解决问题、发挥创造性思维、建立自信心并使其形成自主意识。

　　等你熟悉了本书之后，就可以随心所欲地一遍又一遍地让宝宝重复他最喜爱的游戏。不断地重复对宝宝大有益处。此外，在游戏过程中，如果你发现宝宝似乎达不到相应年龄段的要求——比如，1岁的宝宝玩传球游戏时，不能很好地控制沙滩球，或者恰恰相反，2岁的孩子很快就记住了所有的儿歌和手指游戏——作为家长，你大可不必为此担心。请记住，每个宝宝的发展都有自己的速度和方式，年龄段只是一个宽泛的指导原则，本书中不同的游戏能够满足每个宝宝独特的需要和喜好。

　　好啦，我们开始吧！看看书中的游戏，准备进入宝宝的世界，陪他一同探索未知的世界。这些游戏能够帮助你为宝宝营造一个更加丰富、更具启迪意义的环境，同时也会留给你一笔充满欢乐的记忆宝藏，你将成为宝宝的第一个、同时也是最棒的一个游戏伙伴。

哼哼唱——只要和扭来扭去乐哈哈的小家伙在一起，唱什么歌都不会觉得傻。

游戏指南

你是否和大多数父母一样，虽然非常疼爱自己的宝宝，但是陪伴宝宝的时间很少呢？为此，《美国金宝贝早教婴幼儿游戏》收集了大量简单易学的游戏，供忙碌的家长们参考，你们只需简单地翻看本书，就能轻松学会各种不同的游戏。本书的特色在于家长能够通过相关的游戏类别，迅速找到与之对应的游戏，而且这些游戏都便于理解、易于开展——你只需很短的时间就能读完游戏说明，然后就可以留出更多时间和宝宝在一起快乐地玩耍。

育儿小贴士让家长能够洞察宝宝细微的发展和进步，同时还为家长提供了宝贵的建议，使其能够从容面对宝宝的成长。

彩色图片中的宝宝——常常和家长在一起——正在展示游戏的玩法。

技能点睛解释了每个游戏发展的重点技能，列举了游戏的主要效果，供家长参考。

方便查找，本书将所有游戏按照类别进行了划分——从换尿布游戏到音乐和动作游戏，再到洗澡游戏——家长可以很快找出符合宝宝兴趣爱好的游戏。

每个游戏都附有简洁且便于操作的游戏说明，它会告诉家长还可以怎样变换花样、怎样随着宝宝的成长对游戏进行调整，使这些游戏能够长时间地吸引宝宝的注意力。

年龄标签标示了宝宝进行相应游戏的最佳年龄段。本书中的游戏分为 8 个年龄段（更多关于宝宝的身体发育与不同年龄段之间的联系，详见"介绍"部分）。年龄标签只是一个概括性的引导，它可以帮助家长找到适合宝宝做的游戏。此外，大多数游戏在进行适当调整后，都能够满足 0 ~ 3 岁宝宝的游戏需要。

歌词呈现在黄色的背景区域，宝宝可以随着音乐的节奏吟唱，这其中的大部分歌词都包含双手和身体的动作。

相互对照列出了与本游戏相关的其他游戏，宝宝或许会喜欢这些主题或内容相似的游戏。

研究报告突出展示了最新的科研成果，披露了近年来关于婴幼儿发展和学习技能方面的研究成果。

0 月龄及以上

0

摇啊摇

膝盖上的摇篮曲

技能点睛

这个游戏能够带给宝宝丰富的感官刺激——他可以听到你的声音、感觉到你双手温柔的抚摸，还可以看到你微笑的面庞——这些都可以安抚宝宝的情绪，给他安全感。有时宝宝甚至会在游戏中不知不觉地进入梦乡。等宝宝3个月左右的时候，他或许还会用咿咿呀呀的学语声和欢快的笑声来回应你亲切的笑脸和话语。

身体感知能力	✓
听觉能力	✓
视觉发育	✓

如果宝宝喜欢这个游戏，家长可以让他再试试第44页的游戏"毯子摇摇"。

宝非常喜欢聆听你亲切的声音、感受你温柔的触摸，还喜欢被你有节奏地轻轻左右摇动。你可以将宝宝喜欢的这些活动结合起来，用你的大腿作摇篮、用你的声音演唱摇篮曲。坐在椅子上，将双脚踩在小板凳上，让宝宝的两只小脚朝向你的腹部，平躺在你的大腿上。双手托住宝宝的头部，然后一边轻轻地左右晃动你的身体，一边跟宝宝说话或唱歌。

当你的身体左右晃动的时候，你的双眼要一直盯着宝宝的眼睛——这样可以在你们之间搭建起一条牢固的感情纽带。

绒球游戏

触觉和视觉游戏

出生后的婴儿并不知道如何用视线追踪物体，也不明白物体为什么会发生转移，因为视觉发育需要一段时间。这个轻松的小游戏可以吸引宝宝的注意力，刺激他的感官，甚至令他欢笑。

● 找一些色彩鲜艳的绒球或小毛绒玩具。将绒球或毛绒玩具放在距离宝宝面前 30 ~ 38 厘米的位置，让宝宝将注意力集中在玩具上。然后向不同方向慢慢移动绒球或毛绒玩具，根据宝宝视线追踪物体的能力限度来决定你移动玩具的速度。

● 试着慢慢将玩具升高或下降，让宝宝观察这种远近变化。用玩具轻轻触碰宝宝的身体或摩擦他的小脸和手臂。但要记住，绝对不可以让宝宝和小物体单独在一起。

技能点睛

观察色彩鲜艳的物体上下左右地移动可以锻炼宝宝的眼部肌肉。让宝宝的眼睛追踪移动的物体，可以让他将不同距离的物体聚焦在视网膜上，这种技能需要"视觉聚合"——简单地说就是双眼的配合。用小绒球轻轻触碰宝宝的身体、脸和四肢，从而让他感知物体的材质。

✓	触觉刺激
✓	视觉发育
✓	视觉追踪

一个小小的黄色毛绒球可以激起宝宝的好奇心，尤其是当绒球扫过他的皮肤时。

23

婴儿按摩

通过抚摸来放松

技能点睛

抚摸对婴儿来说是一种极大的安慰，特别是平静而温柔的爱抚。轻柔的按摩可以刺激宝宝的微循环，增进其触觉发育和身体感知能力。给宝宝按摩的时候，家长要注视着宝宝并跟她进行交流，以增强亲子间的情感联系。

世界各地的不同文化中，都有父母为婴儿做抚触按摩的传统——按摩手法多种多样，已经流传了数千年。你可以报名参加专门的婴儿按摩培训班，也可以找一些相关书籍自学。其实给宝宝做些简单按摩并不难：首先要找一个温暖的房间，或者在床上、地毯上找个阳光充沛的位置。然后将宝宝全身的衣物脱掉，只留下尿片——或者连尿片也不留，找一块厚浴巾或棉布，将其垫在宝宝的身下。如果你喜欢，可以在按摩时使用一些纯植物的基础按摩油，比如甜杏仁油或杏核油，但要避免使用婴儿油和其他由石油提炼的产品。

● 像给奶牛挤奶一样，轻轻捋一遍宝宝的四肢。然后将手放在宝宝的腹部，不断地画圈按摩，或者用指尖轻轻抚摸宝宝的皮肤。按摩时可以跟宝宝说话或唱歌给她听。

● 将手指放在宝宝的太阳穴处，轻轻画很小的圈。然后将指尖放在宝宝的额头中央，沿着宝宝眉毛的方向慢慢向两边移动指尖。试着用拇指轻轻沿着宝宝的鼻梁向下移动，经过鼻翼，最后停在宝宝的嘴角处。

身体感知能力	✔
情感发育	✔
社交发育	✔
触觉刺激	✔

宝宝非常渴望父母温柔的爱抚、渴望跟你温情地对视，同时聆听你熟悉的声音。

研究报告

特雷莎·卡普兰在她的经典著作《生命最初的十二个月》(*The First Twelve Months of Life*)中写道:"抚摸对婴儿来说几乎是一种语言。"确实是这样,大量研究都显示,父母与宝宝之间的身体接触——拥抱、亲吻和摇晃——有助于加深亲子感情。此外,抚摸对宝宝的生理发育也是很有帮助的。研究显示,抚摸可以提高宝宝的免疫力,增进她的肌肉发育,还会刺激其生长荷尔蒙的分泌。

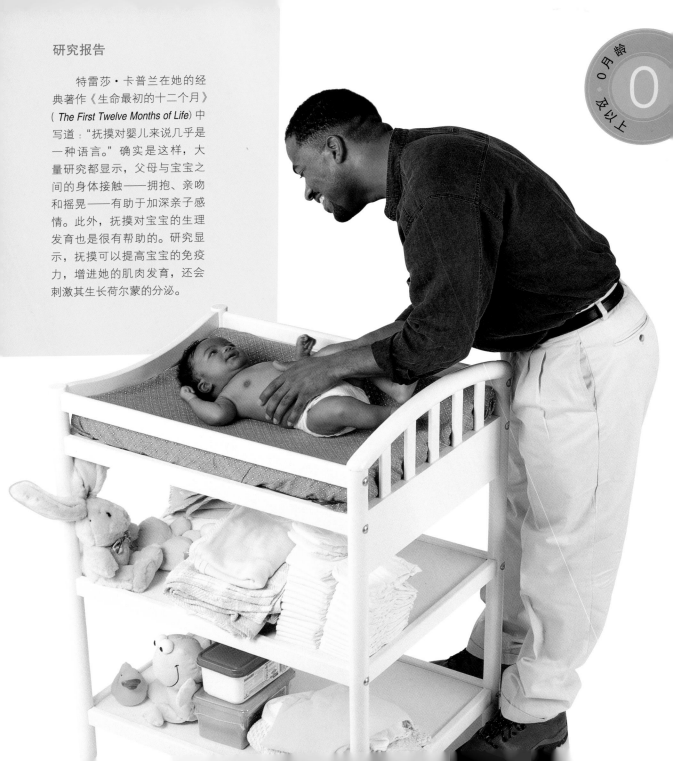

哭闹和肠痉挛

你很快就会熟悉宝宝的哭闹——就像熟悉他脚趾的形状一样，但这并不会让你觉得更轻松。有时候你会非常同情满脸泪水的宝宝，但有些时候你也会觉得自己的忍耐力即将达到极限。

婴儿在感到不适时就会用哭泣来表达，比如疼痛、饥饿、孤独、疲倦或是太热和太冷。有些研究者甚至认为，在3~6周，有些经常在傍晚时分哭闹的婴儿其实只是想要消耗一下自己在白天积攒下来的过剩精力。

肠痉挛又称痉挛性肠绞痛，是小儿急性腹痛中最为常见的功能性腹痛。肠痉挛发作的宝宝会比其他宝宝哭得更多、更久。研究人员还不确定婴儿肠痉挛究竟是由什么引起的。有些人认为，肠痉挛发作的婴儿的消化系统可能还不够成熟；也有人认为这些患儿只是不适应外界的刺激。不管病因是什么，即使是最具母爱和父爱的家长，面对出现肠痉挛的宝宝那似乎永无休止的尖声哭闹，都会感到挫败、焦虑，甚至愤怒。

有些人可能说："让宝宝哭去吧，等他哭够就好了。"但大多数儿科医生都不赞同这种观点。

安抚宝宝——哪怕只是尽量去安抚——是在告诉宝宝，他可以依靠你，你会对他的需要作出回应，这种痛苦终究会过去。

你可以为孩子做什么？如果拍嗝、换尿布或喂奶都没有效果，那就试试运动（比如，用婴儿车或婴儿背带带着宝宝外出散步，轻轻地摇动宝宝，或者抱着宝宝一起跳舞）。此外，呼吸新鲜空气也可以让哭闹的婴儿安静下来。但是那些刚出生的婴儿比较喜欢被包在襁褓里。

你可以为自己做什么？抓紧一切机会补足睡眠。疲倦会让家长更容易脾气暴躁或陷入抑郁，这样你就很难全心全意地回应宝宝的哭闹了。请其他人暂时帮忙照看一下宝宝，你可以趁机去洗个热水澡或者外出散步，放松一下疲惫的心情。不要认为这样做是在遗弃自己的孩子，你要把这个过程当做是充电——补充自己失去的能量。

与宝宝共舞

旋律和安抚

宝宝出生前已经在妈妈的子宫中漂浮了9个多月，出生后的世界也应该充满这样的动感。带着小宝宝一起舞动是安抚宝宝的好方法，这会让他感到自己被浓浓的爱意包围着。将宝宝稳稳地抱在怀中，随着不同风格的音乐轻柔地舞动——古典乐、乡村音乐，甚至是摇滚乐（但音量不要太大）。这种感觉和宝宝在子宫中的感觉很像，还可以增强宝宝的平衡能力。

多年以后，你和孩子仍然会记得当年带给他无限乐趣的这些旋律。

技能点睛

虽然宝宝对晃动感并不陌生，但被紧紧抱在家长怀里对宝宝来说是一种新奇而有趣的体验。音乐可以刺激宝宝的听觉，而你舞动的身姿和充满节奏感的步伐可以刺激宝宝刚刚产生的平衡能力。注视着对方的眼睛翩翩起舞，对宝宝的社交发育和情感发育都有好处。

✓	情感发育
✓	听觉能力
✓	节奏感
✓	社交发育

如果宝宝喜欢这个游戏，家长可以让他再试试第22页的游戏"摇啊摇"。▶

27

研究报告

　　家长的面孔和声音不仅能够吸引宝宝的注意力，还能让他更有安全感。美国特拉华大学的一项研究发现，那些面部表情丰富的母亲和孩子之间的亲密度和安全感要强于面部表情匮乏的母子。更有一项关于患有抑郁症和性格孤僻的母亲的研究显示，这类母亲养育的孩子通常对人更淡漠，缺少感情表达。

温柔而充满爱意的注视能够让母子间的关系更为亲密。

0月龄
及以上

面部表情

凝视、学习、关爱

并不是所有亲子游戏都必须是激烈的运动——甚至不必有太多动作，其实安静下来的时间同样也很重要。小宝宝很容易感到刺激强度过大，特别是新生儿。亲子之间的亲密度不仅取决于逗宝宝笑、给宝宝按摩以及同宝宝做游戏，爱抚和视线交流也很重要。换言之，静静地跟宝宝进行目光交流也非常重要，因为它给了家长和宝宝一个放松和增进感情的机会。

- 选择一个宝宝较为清醒、接受度较高的时间段。将他抱起来、让他坐在你的膝盖上，或者让他躺在尿布台或柔软的地毯上。

- 当宝宝注视着你的时候，你也注视他的双眼，并温柔地念出或唱出他的名字。对着宝宝做一些夸张的面部表情——咧嘴笑、张大嘴、翘眉毛、伸舌头，然后恢复正常的表情注视着宝宝，轻轻地叫他的名字。

- 有时宝宝可能带给你一个大大的惊喜——模仿你的表情，即使是很小的宝宝有时也会模仿大人的表情。但如果他变得烦躁不安或不断转动头，请立即停止游戏。这代表小宝宝需要从高强度的互动中暂时抽身，慢慢品味刚刚经历的一切。

如果宝宝喜欢这个游戏，家长可以让他再试试第 39 页的游戏"这是谁？"。▶

技能点睛

你或许已经留意到了，宝宝几乎从一出生就很喜欢注视你的脸——或者视线在你的发际线和下巴之间来回打转。这表明，人的面孔对小宝宝而言非常重要。让宝宝有机会慢慢端详你的脸和面部表情，有助于你们建立亲密的亲子关系，同时还有助于他的情感发育和社交发育。

✓	情感发育
✓	听觉能力
✓	社交发育
✓	视觉发育

摇篮曲

很难解释这些看似简单的歌曲为什么可以让婴儿安静下来，可是事实证明一辈又一辈的父母就是唱着这些歌曲哄小宝宝入睡的。很多摇篮曲的歌词都是让宝宝快点儿入睡——只要是用充满爱意的方式将节奏舒缓的歌曲唱出来，就可以让宝宝快速进入梦乡，或者至少可以让兴奋过度的宝宝安静下来。

Rock a Bye Baby（摇着宝贝入睡）

Rock-a-bye baby,	摇着宝贝入睡，
on the tree top.	在树的顶上，
When the wind blows,	风吹来时，
the cradle will rock.	摇篮会摇动，
When the bough breaks,	若大树枝断了，
the cradle will fall.	摇篮就会掉下来，
And into my arms	宝宝就会掉进
come baby and all.	我的怀里。
From the high rooftops	上至高高的屋顶，
down to the sea,	下至深深的大海，
no one's as dear	对我来说没有什么
as baby is to me.	比宝宝更珍贵，
Wee little fingers,	小小的手指头，
eyes wide and bright.	大而明亮的眼睛，
Sleep little baby 'til	小宝宝睡吧，
morning light.	一直睡到天亮。

不管是父母亲还是哥哥姐姐，只要有人唱起节奏舒缓的歌曲，就可以让婴儿安静下来。

Hush Little Baby（嘘，小宝贝）

Hush, little baby, don't say a word.
Mama's going to buy you a mocking bird.

And if that mocking bird won't sing,
mama's going to buy you a diamond ring.

And if that diamond ring turns brass,
mama's going to buy you a looking glass.

And if that looking glass gets broke,
mama's going to buy you a billy goat.

And if that billy goat won't pull,
mama's going to buy you a cart and bull.

And if that cart and bull turn over,
mama's going to buy a dog named Rover.

And if that dog named Rover won't bark,
mama's going to buy you a horse and cart.

And if that horse and cart fall down,
you'll still be the sweetest little
baby in town.

嘘，小宝贝快快睡，
妈妈给你买画眉。

如果画眉不唱歌，
妈妈给你买钻戒。

如果钻戒变黄铜，
妈妈给你买镜子。

如果镜子打碎了，
妈妈给你买山羊。

如果山羊不拉车，
妈妈给你买牛车。

如果牛车翻倒了，
妈妈给你洛夫狗。

如果那狗不会叫，
妈妈给你买马车。

如果马车也翻倒，
你仍是镇上最可爱
的小宝宝。

All the Pretty Little Horses（漂亮的小马）

Hush a bye, don't you cry,
go to sleep my little baby.

When you wake, you shall have
all the pretty little horses.

Blacks and bays, dapples and grays,
all the pretty little horses.

Hush a bye, don't you cry,
go to sleep little baby.

When you wake, you shall have
all the pretty little horses.

乖乖的，不要哭，
宝贝宝贝快睡吧。

你醒来就会有
所有漂亮的小马。

小黑马、小红马，
还有花马和灰马。

乖乖的，不要哭，
宝贝宝贝快睡吧。

你醒来就会有
所有漂亮的小马。

用温柔的歌声哄
宝宝入睡，会让
你和宝宝感到很
惬意。

围巾飘飘

视觉追踪游戏

技能点睛

看着围巾上下移动，可以训练婴儿追踪移动的物体，发展她的视觉能力，这样宝宝的双眼逐渐就可以持续地聚焦在物体上了。宝宝到了 3 个月左右的时候，就会忍不住伸手去抓围巾。到了 6 个月左右的时候，只要围巾一落到她的小手里，她就会迅速将其塞进嘴里啃咬。

听觉能力	✓
视觉刺激	✓

如果宝宝喜欢这个游戏，家长可以让她再试试第 47 页的游戏"摇彩带"。▶

有一个最值得家长们分享的经验是：想要和小宝宝做游戏，其实并不需要去买那些昂贵的玩具——比如带有电子发声装置的玩偶、闪闪发光的遥控玩具车。事实上，很多时候你需要的只是一块手帕或一条色彩艳丽的围巾。先让宝宝仰面躺在地板上或尿布台上，家长手拿一条围巾、手帕或一块布头，将其悬在距离宝宝眼睛大约 30 厘米的地方，以吸引宝宝的注意力。将围巾向下移动，靠近宝宝的脸，然后将其提起，接着再向下移动，如此循环往复。上下移动围巾的时候，家长要轻轻呼唤宝宝的名字或唱歌给她听。

一条色彩鲜艳的围巾或手帕可以让小家伙兴致勃勃地看个不停，还能逗得她呵呵笑。

边做家务边游戏

一箭双雕

你不可能在宝宝清醒的每一刻都陪在他身边、和他玩耍，因为你不但有很多家务要做，而且也需要休息。其实在你做家务的时候，宝宝仍然想要紧紧地黏在你身边，比如在你扫地、洗碗、洗衣服、出去买菜，甚至在花园里修剪草坪和植物的枝叶的时候。这时，你只需一个安全且牢固的婴儿背带——将宝宝背在身上，同时要确定他这样很舒服——就可以放心地做家务了。唱歌和说话可以安抚宝宝，劳动时晃动的节奏还可能让他渐渐进入梦乡。这样一来，你不但能陪着宝宝，同时还能轻松地完成很多家务活。

我扫地、你睡觉……宝宝会在你甜美的歌声和有节奏的晃动中进入梦乡。

技能点睛

在妈妈的子宫中生活了9个多月后，出生不久的婴儿可能还不习惯离开妈妈。整日陪在宝宝身边可以给他安全感、帮他建立信任感，这是宝宝社交发育和情感发育的重要组成部分。

| ✓ | 情感发育 |
| ✓ | 社交发育 |

◀ 如果宝宝喜欢这个游戏，家长可以让他再试试第22页的游戏"摇啊摇"。

小小艺术展

眼看、手打、脚踢

技能点睛

悬挂一些有趣的物品或家人的大头照可以为宝宝提供视觉刺激，但这些东西都是静止的，不能与宝宝进行有趣的互动。如果有你站在一旁移动并解说这些展品，既可以让宝宝对它们更感兴趣，又能增加亲子之间的交流互动。不出几个月，宝宝就会开始对眼前的这些东西拳打脚踢，开心地看着它们"跳舞"了。

手眼协调能力	✔
空间意识	✔
视觉刺激	✔

此时宝宝的近距离视力已经发育得比较成熟，但他还看不清远处，所以新生儿对近距离的物品和动作最感兴趣。你可以买一个游戏架，也可以用家里能找到的物品为宝宝举办一场独一无二的视觉艺术展，你会发现宝宝可能更喜欢你亲自动手。

- 将六七个大塑料夹子或晾衣夹牢牢地固定在绳子或粗线上。
- 用夹子夹些照片、布球、摇铃、蝴蝶结或小号的毛绒玩具，然后将绳子牢牢地绑在婴儿床或尿布台的上方。
- 轻轻晃动绳子上的玩具或照片，同时告诉宝宝它们都是什么。仔细观察宝宝的表情，他是不是正目不转睛地盯着这些色彩艳丽的东西呢！
- 当宝宝的注意力有些分散，表现出烦躁不安的情绪或是不断将头扭开时，你就要将绳子取下来，以后再玩。注意，一定要将绳子绑紧，不能让它掉到婴儿床上，更不能让宝宝和绳子单独在一起。

这些诱人的小玩具正好处在宝宝的视线范围内——等宝宝能够伸手抓这些东西时，家长在绑绳子时要确保玩具与宝宝之间的距离足够，以保证孩子的安全。

0月龄及以下

宝宝仰卧起坐

早期锻炼

技能点睛

随着时间的推移，宝宝会自己抬头了，但这个看似简单的动作需要宝宝借助自己的颈部肌肉和上身肌肉的力量来完成。这个游戏不但可以锻炼宝宝颈部的肌肉，还可以让他观察周围的世界。当宝宝能够稳稳地控制自己的头部时，他就可以决定自己要看什么、看多久了。

娇小的身体比起来，新生儿的头部看起来很大。宝宝无法控制自己这么大、这么重的头部——他只能暂时将头部抬起一下，因为他的颈部肌肉还无力控制其头部。通过这个简单的游戏，你可以帮宝宝试着坐立，从而增强其肌肉的力量。让宝宝仰卧在毯子上，用毯子作为婴儿背带。两手抓住靠近宝宝头顶的毯子边缘，轻轻将宝宝抬起，然后放下，如此重复几次。

宝宝非常喜欢一边看着你，一边做一些简单的运动。

平衡能力	✓
身体感知能力	✓
上肢力量	✓

如果宝宝喜欢这个游戏，家长可以让他再试试第 44 页的游戏"毯子摇摇"。

36

跃动的大气球

吸引宝宝的视线

刚出生的前几个月，宝宝看远处物体的能力尚未发育成熟，但这并不代表宝宝对视觉世界不感兴趣。手拿一两个颜色鲜艳的造型气球，在宝宝眼前来回晃动，给她制造一些视觉冲击（任何时候都不能让宝宝和气球或气球绳单独在一起）。观察宝宝看到气球上下跳动时惊奇的眼神。你还可以拍打气球或有节奏地拉动气球绳，让气球"跳"得更加欢快。

技能点睛

观察气球的跳动可以发展宝宝的视觉聚焦能力和视觉追踪能力。一边跟宝宝聊天一边拉动气球绳，可以让这个游戏更具互动性，能够进一步增进亲子之间的感情。

刚出生的宝宝
很喜欢盯着
色彩艳丽的
气球。

| ✓ | 社交发育 |
| ✓ | 视觉发育 |

如果宝宝喜欢这个游戏，家长可以让她再试试第47页的游戏"摇彩带"。

37

"那个小宝宝是谁啊？"

这是谁？

镜中影像

新生儿对人脸的兴趣远超过其他物体——比如摇铃、几何图形，甚至是绘制的人物面孔。刚出生几周的小婴儿就会盯着其他人的脸看，但她并不知道这些人跟她有什么共同点。这意味看着自己在小镜子里的影像，她会感到非常惊奇——她完全不知道那是谁。将镜子举高，让宝宝可以看清自己的模样。用手指着镜子里的宝宝，然后叫她的名字。当宝宝长大一点儿后，她在镜子里的影像会促使她做出第一个社会性举动—— 一个小婴儿露出顽皮的笑容。

一面镜子就可以为全家人带来妙趣
横生的游戏时光。

技能点睛

宝宝要到 15 个月左右才能认出自己在镜子中的影像。但即使是在宝宝很小的时候，让她看着镜子里的自己也有助于发展她的视觉聚焦能力和视觉追踪能力，还有助于她的社交发育。最终，这会帮宝宝意识到，镜子里的那个小宝宝就是她，从而使她明白自己是一个独立的个体。

✓	情感发育
✓	社交发育
✓	视觉发育

如果宝宝喜欢这个游戏，家长可以让她再试试第29页的游戏"面部表情"。

飞机宝宝

飞上新高度

技能点睛

为了安抚哭闹不停的宝宝，很多家长都会用"飞机抱"的姿势抱着宝宝前后摇摆。腹部感受到的压力可以带给宝宝阵阵暖意和一定的触觉刺激。随着时间的推移，她会不断尝试练习抬起头部、颈部和肩膀，这样宝宝的视线范围就会逐步扩大。

触觉刺激	✓
信任感	✓
上肢力量	✓

你可能已经发现，在宝宝哭闹不停、过度兴奋或疲倦的时候，传统的"飞机抱"或"橄榄球式抱法"可以让宝宝安静下来。稳稳地托住宝宝的腹部，结合简单的摇摆动作以及有节奏的歌曲，可以让宝宝感觉更舒服。让宝宝的肚子朝下，用手臂托住宝宝的胸部和腹部（如果是新生儿，切记要时刻托住其头部），然后一边唱歌一边轻轻地让她前后摆动。

点点微风穿过宝宝的发丝，在妈妈手臂的支撑下，宝宝仿佛化身为一架滑翔机。

◀ 如果宝宝喜欢这个游戏，家长可以让她再试试第27页的游戏"与宝宝共舞"。

挠痒游戏

触觉体验

有时候宝宝并不喜欢光着身子，因为她觉得让皮肤完全暴露在空气中感觉很冷。大一些的宝宝经常会在家长为其换尿布的时候捣乱，因为他们不喜欢被束缚。但是你可以换一个方式，将换尿布的时间变成宝宝做游戏和学习的时间——在此期间为宝宝提供有趣的触觉体验。

- 收集一些不同材质的物体。试着用羽毛、不同材质的布料（比如丝绒、灯芯绒）或沾过温水的海绵触碰宝宝的皮肤。

- 用某个物体轻轻地触碰宝宝的皮肤，观察宝宝的反应，然后换不同材质的物体。通过宝宝的微笑、动作等判断宝宝此刻的感觉。

- 这个游戏可以让宝宝玩上好几个月。9 个月后，宝宝可能抓起自己喜欢的某种材质并将其递给你，让你给她挠痒痒。

技能点睛

触觉是宝宝探索世界的主要途径之一，皮肤接触有助于婴儿触觉的发展——宝宝的皮肤通常比较敏感。这个触觉游戏能够让宝宝体验不同材质的物体触碰皮肤时的感觉。在游戏的同时，家长也有机会练习辨别并回应宝宝的身体语言。这种回应有助于宝宝建立安全感，因为她发现有人会顾及她的需求。

✓	身体感知能力
✓	社交发育
✓	触觉刺激

轻柔的羽毛会令宝宝
快乐地笑个不停。

如果宝宝喜欢这个游戏，家长可以让她再试试第24页的游戏"婴儿按摩"。

儿歌

宝要到 3 个月左右，才会被你胳肢得咯咯直笑。不过，在此之前他仍然对挠痒游戏很感兴趣，因为挠痒可以刺激他刚刚出现的身体感知能力。同时配合简单的儿歌，可以引起他对人类声音的兴趣。

你的抚摸和歌声会让宝宝乐不可支。

Did You Ever See a Lassie?（你见过一个小姑娘吗？）

Did you ever see a lassie,
a lassie, a lassie,
did you ever see a lassie
go this way and that?

你见过的一个小姑娘吗？
小姑娘呀小姑娘。
你见过的一个小姑娘吗，
走这边还是走那边？
（用手指在宝宝身上慢慢地"走路"。）

Go this way and that way,
go this way and that way,
did you ever see a lassie
go this way and that?

走这边还是走那边，
走这边还是走那边，
你见过的一个小姑娘吗，
走这边还是走那边？
（用手指在宝宝身上慢慢地"走路"。）

Did you ever see a laddie?
...

你见过的一个小伙子吗？
……

Yankee Doodle（扬基·杜德尔）

Yankee Doodle went to town	扬基·杜德尔进城去，
riding on a pony,	骑着一匹小马驹，
stuck a feather in his hat	帽上插一根羽毛，
and called it macaroni.	还叫它马可罗尼。

Yankee Doodle keep it up.	扬基·杜德尔真神气，
Yankee Doodle dandy.	扬基·杜德尔真帅气，
Mind the music and the step	唱着歌儿跳着舞，
and with the girls be handy.	身旁姑娘乐呵呵。

Twinkle, Twinkle, Little Star（一闪一闪亮晶晶）

Twinkle, twinkle little star,	一闪一闪亮晶晶，
	（双手握拳一开一合。）
how I wonder what you are!	满天都是小星星。
Up above the world so high,	挂在天上放光明，
	（指着天空。）
like a diamond in the sky.	好像千万小眼睛。
	（将拇指和食指围成圈放在眼睛上。）
Twinkle, twinkle little star,	一闪一闪亮晶晶，
	（双手握拳一开一合。）
how I wonder what you are!	满天都是小星星。

You Are My Sunshine（你是我的阳光）

You are my sunshine,	你是我的阳光，
my only sunshine.	独一无二的阳光。
You make me happy	你让我快乐，
when skies are grey.	即使天色阴沉。
You never know, dear,	宝贝，你永远不知道，
how much I love you.	我有多爱你。
Please don't take	请不要
my sunshine away.	带走我的阳光。

You are my sunshine,	你是我的阳光，
my only sunshine.	独一无二的阳光。
You make me happy	你让我快乐，
when skies are grey.	即使天色阴沉。
You never know, dear,	宝贝，你永远不知道，
how much I love you.	我有多爱你。
Please don't take	请不要
my sunshine away.	带走我的阳光。

依偎在爸爸温暖的
怀抱里欣赏儿歌，
对宝宝来说是一种
莫大的享受。

毯子摇摇

欢乐吊床

技能点睛

这个简单的摆动游戏产生的晃动感对宝宝有很好的安抚作用。宝宝的身体会随着毯子的摆动从一侧摆向另一侧，这有助于发展她的平衡能力——婴儿学习坐立所需的一项能力。如果躺在毯子上的宝宝尝试着将头抬起来，还可以锻炼她颈部的肌肉。此外，有爸爸妈妈充满关爱的笑容陪伴着她，还可以增强宝宝对他人的信任感。

对婴儿来说，没有什么能够比在母亲的子宫中被温暖的羊水包围着更舒适的感觉了。现在，你可以通过这个简单的婴儿吊床游戏来为宝宝营造那种舒适感。让宝宝面朝上躺在小毯子上，爸爸妈妈分别抓住毯子的两端，将毯子抬起，然后轻轻晃动毯子。你还可以将宝宝头部一侧的毯子略微抬高，将脚部一侧的毯子放低，帮助宝宝坐起来。摇摆的感觉、与父母的视线接触和欢快的儿歌一定会让宝宝爱上这个游戏。

平衡能力	✓
社交发育	✓
信任感	✓
上肢力量	✓

如果宝宝喜欢这个游戏家长可以让她再试试第27页的游戏"与宝宝共舞"。

"Ladybugs Fly" (瓢虫飞)

Fly, fly, fly, ladybugs fly.	飞飞飞，瓢虫飞。
Fly over here, fly over there.	飞到这儿，飞到那儿。
They fly up high,	一会儿飞得高，
and they fly down low.	一会儿飞得低，
Around and around,	一会儿绕圈飞，
and around they go.	转啊转。
They fly fast,	一会儿飞得快，
and they fly slow.	一会儿飞得慢。
Oh, ladybugs fly!	哦，瓢虫飞呀飞！
Yodel lady.	呦，花大姐。
Yodel lady.	呦，花大姐。
Yodel lady.	呦，花大姐。
Bug, bug, bug, bug!	你是一只小瓢虫。

这个简单的摆动游戏对宝宝来说就像成人在吊床上的感觉一样——非常放松，同时还可以让她感受到平衡感和信任感。

合理安排生活

新生儿的降临会给整个家庭带来喜悦和幸福，但同时也会给年轻的父母带来一些烦恼，比如原本干净整洁的家中会被各种各样的婴儿用品填满。这里所说的婴儿用品不仅包括你在预产期到来前就已经买好的婴儿床、婴儿车和尿布台，还包括宝宝的小衣服、尿片、奶瓶和各种各样的玩具。

对初为父母的你来说，保持家居整洁应该不会是你的首要目标。你首先要做的是调整自己的心态、合理安排家中的事宜。要记住，你现在要做的家务活跟没有宝宝时的完全不一样。请先放松，将你需要做的事情一一列出来，但不要强求自己能够按时按量完成列出的每一项任务。

手边应准备好的东西包括：尿片、湿巾、婴儿护臀膏和宝宝的衣物等，这样你就不用将宝宝独自丢在一旁去拿东西了。给宝宝洗澡前，应该将宝宝的洗澡巾、香皂和浴巾等洗澡用品准备好。

你可以根据个人的喜好用篮子或塑料整理箱来分类保管宝宝的玩具，根据衣物的尺寸和季节情况分类收纳宝宝的衣服——现在合身的衣服都放在最上面的抽屉里，现在穿着略大但到下一季估计就会合身的衣服放在另一个抽屉里。

分门别类地整理宝宝的衣物可以让你——和其他照顾宝宝的人——更容易、更迅速地为宝宝找到合身的衣服。

没必要将宝宝所有的玩具、书和衣服都放在外面。可以把适合宝宝现在玩的玩具、穿的衣物和看的书放在外面，将那些适合宝宝1岁以后玩的玩具、衣物和书先存放起来，这样家中会变得整洁很多。

小提示：不要期望所有的家务劳动都可以按计划完成。你可以每天只做一项工作，可以选择在晚上或宝宝午睡时完成，维持家居整洁可以让家长心情愉悦。

摇彩带

视觉练习

虽然宝宝还要过很久才会急切地撕掉彩色包装纸，但现在彩带已经能够激发她的好奇心、吸引她的注意力了。用胶带将长约15厘米的色彩艳丽的彩带粘在一块纸板上，或者将其牢牢地绑在木头勺子上。让宝宝躺在床上、尿布台上或者坐在汽车安全座椅里，然后你可以在她的脸周围和手边轻轻摇动彩带。当宝宝开始挥舞手臂、踢动腿脚时，就表示轻快舞动着的、色彩鲜艳的、材质柔软的彩带给她带来了很大的快乐。

技能点睛

让这个年龄段的宝宝看着彩带上下左右地飘舞可以培养她的视觉追踪能力。当宝宝长大一些，能够伸手去拨弄物体时，这个游戏还可以锻炼她的手眼协调能力、抓握能力，让她了解因（碰到彩带）果（彩带飘舞）关系。

✓	手眼协调能力
✓	触觉刺激
✓	视觉发育

如果宝宝喜欢这个游戏，家长可以让她再试试第27页的游戏"与宝宝共舞"。

这个年龄段的宝宝还不会伸手去抓东西，但她仍然非常喜欢类似的游戏。

声源定位

妈妈的声音从哪儿来?

技能点睛

倾听并寻找你的声音可以帮助宝宝发展视觉追踪能力和听觉定位能力。同时还可以让他知道，家人会冲他笑、能给他带去欢笑、会夸奖他。等宝宝6个月以后，他也会开始微笑和大笑；等宝宝1岁左右时，他会开始发出有趣的声音以吸引你转头去看他。

宝宝对声音非常感兴趣，但定位声源的能力并不是与生俱来的。为了训练宝宝的感官，家长可以尝试以下这个游戏：在房间正中摆放一个汽车安全座椅或婴儿椅，让宝宝坐在上面。你可以一边唱歌、发出有趣的声音或跟宝宝说话，一边在他面前走来走去。然后试着走到房间的另一侧再走回来，让他追踪你的声音。也许他还不能随着你的声音转动头，但在你前后移动的过程中，他会听出你声音的变化。

听觉能力	✓
社交发育	✓
视觉发育	✓

如果宝宝喜欢这个游戏，家长可以让他再试试第54页的游戏"小小音乐家"。

很多人都认为我们可以从胎儿在母亲子宫里的胎动情况看出他的性格——安静、活泼、乖巧还是好斗。但是这种孕期的反应和宝宝出生后的性格真的有关系吗？事实上，美国约翰霍普金斯大学的研究人员发现，家长可以通过很多方式预测胎儿将来的性格，包括他们在子宫中的胎动和心率。研究结果显示，在子宫中很活跃的宝宝出生后通常会很活泼，而且情绪变化也会比较大。

寻找妈妈声音的游戏最后会发展为捉迷藏等难度更高、更有趣的游戏。

视觉追踪

找到玩具

技能点睛

这是什么声音？这是什么动作？从宝宝的头部能够左右转动起，她就在学习定位声音的来源和追踪物体的位置。等宝宝3个月左右的时候，她会开始挥手打玩具；到4个月左右，她就能够慢慢将玩具抓在手里了。

| 听觉能力 | ✓ |
| 视觉刺激 | ✓ |

如果宝宝喜欢这个游戏，家长可以让她再试试第47页的游戏"摇彩带"。

即使是刚出生不久的宝宝也会对自己看到的东西、听到的声音很感兴趣。慢慢地在宝宝眼前前后移动一个会发声的、色彩鲜艳的玩具，当宝宝的视线聚焦在玩具上后，你就要将玩具左右移动。你在移动玩具时，移动的速度不要太快，距离也不要太远。如果宝宝突然看不到玩具，她会认为玩具不存在了，从而失去对游戏的兴趣。

宝宝会对玩具发出的声音和家长的动作非常感兴趣，虽然这个月龄的宝宝还不会伸手去抓玩具。

摇动宝宝

浴巾上练平衡

我们想让宝宝感受摇动时，我们通常会想到让宝宝仰卧在摇篮里或是成人的怀里。其实另一种方法对婴儿来说也具有安抚效果，那就是让宝宝以俯卧的姿势左右摇动。将一条或两条浴巾卷起来，让宝宝趴在上面，这样卷起的浴巾就可以支撑住宝宝的头、胸、腹和臀部。将宝宝的头扭向一侧，然后轻轻地左右摇动宝宝，同时哼唱一些儿歌，比如《宝宝摇摇》。摇晃动作有助于发展宝宝的平衡能力，俯卧的姿势则让她有机会练习俯卧抬头。

腹部受到的压力会让宝宝感觉很舒服，来回晃动则可以帮助宝宝掌握最基本的平衡能力。

"Rock the Baby"（宝宝摇摇）

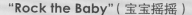 和着乐曲 **"London Bridge is Falling Down"**（中文曲目《伦敦桥要塌了》）

Rock the baby	快来摇一
side to side,	摇宝贝，
side to side,	摇一摇，
side to side.	摇一摇。
Rock the baby	快来摇一
side to side,	摇宝贝，
just like this.	像我这样。

✓ 平衡能力
✓ 空间意识
✓ 上肢力量

如果宝宝喜欢这个游戏，家长可以让她再试试第52页的游戏"沙滩球上练平衡"。

沙滩球上练平衡

摇滚游戏

技能点睛

前后左右地摇晃宝宝可以锻炼他的平衡能力。满月后，大部分宝宝还会努力抬起头、睁大眼观察周围的世界，这些动作有助于增进宝宝的上肢力量。腹部感受到的轻微压力还可以缓解宝宝胀气或肠痉挛的症状。

平衡能力	✓
信任感	✓
上肢力量	✓

◀ 如果宝宝喜欢这个游戏，家长可以让他再试试第51页的游戏"摇动宝宝"。

小宝宝通常不喜欢趴太久，但让他在某个大大的、柔软的球状物体上趴着的话他会很感兴趣。试着将宝宝面朝下放在一个略微有些亏气的沙滩球上。将宝宝扶稳，然后慢慢地前后或左右摇动宝宝的身体（如果是新生儿，家长一定要时刻托住他的头部）。一边和宝宝玩游戏一边对着宝宝唱歌或说话，这可以让宝宝在感受轻柔的旋律和腹部的压力的同时集中注意力。如果宝宝累了就要赶紧停下来。等宝宝长大后——几乎可以独自坐立的时，你可以扶着他坐在沙滩球上，然后在球上轻轻地上下弹跳。

鲜艳的颜色、压上去会下陷的球体表面、有趣的摇动感，全都融入了一个游戏中，这当然会让宝宝乐不可支。

"滚滚吧，宝宝！"

小小音乐家

听觉游戏

技能点睛

聆听物体发出的不同声音可以提高宝宝的听觉能力，而直视物体可以让宝宝的视觉分辨能力更加敏锐，同时还能帮助他集中注意力。几个月后，当宝宝有能力拨弄物体时，这个游戏还可促进他的大运动能力的发育。

手眼协调能力	✓
听觉能力	✓
视觉发育	✓

◀ 如果宝宝喜欢这个游戏，家长可以让他再试试第48页的游戏"声源定位"。

"梆梆梆"、"叮叮叮"、"当当当"，这个奇怪的发声物体可以吸引宝宝的注意力，帮他学会定位声音的来源。

不管是心爱的电动玩具发出的熟悉的声音，还是从没听过的陌生声音，即使是刚出生的宝宝也会对其很感兴趣。将一些可以发出声音的物体——瓶盖、较轻的摇铃、塑料或木头勺子——绑在绳子或彩带上，为宝宝制作一件简单的乐器。将乐器悬在宝宝眼睛上方30厘米左右的位置，摇晃乐器使其发声；或者将乐器拴在婴儿床上，然后晃动绳子或乐器——但千万不能让宝宝和玩具单独待在一起。

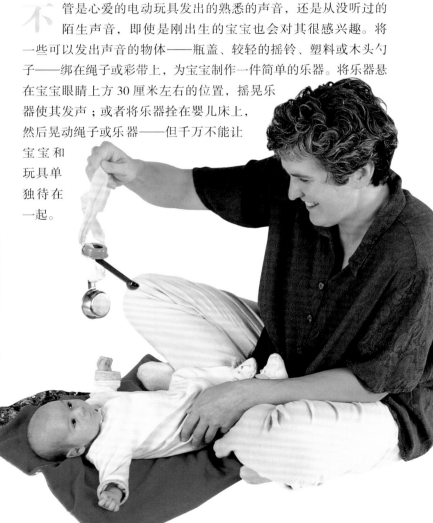

小小鸟类观察家

宝宝的第一堂自然课

动的翅膀、一闪而过的色彩、尖锐的叫声或鸣叫声——这种景象和声音几乎可以吸引所有宝宝的注意力。当然，难题是怎样才能让宝宝和小鸟近距离接触，从而使她看清小鸟。

试着在窗外放一个装满谷物的鸟类喂食器，等小鸟来吃食的时候，将宝宝抱到窗边或者将婴儿椅放在窗边，让宝宝可以看清小鸟。很快她就会在看到这些长着羽毛的朋友时笑起来了。

她很喜欢观察这些会飞的、有趣的小生灵的一举一动。

技能点睛

新生儿还很难看清小鸟的样子，但她或许可以发现不远处有一团模糊的色彩，还有一个东西在动。在接下来的几个月里，你不妨让宝宝多多观察小鸟，这样可以提高她的视觉追踪能力和聚焦能力。宝宝对鸟类的浓厚兴趣说明她越来越关注自己周围的世界。一年后——或许你不相信——她会希望和你一起去给小鸟喂食。

| ✓ | 听觉能力 |
| ✓ | 视觉发育 |

如果宝宝喜欢这个游戏，家长可以让她再试试第94页的游戏"宝宝爱泡泡"。

55

骑自行车

提高身体感知能力

技能点睛

　　帮宝宝移动双腿做骑自行车的动作时，你要让宝宝感到他的腿正在以一种前所未有的方式运动着——身体两侧的动作正好相反。在帮助宝宝做这个游戏时，你所做的动作其实正是宝宝日后学习爬行时要做的动作。

| 身体感知能力 | ✓ |
| 大运动能力 | ✓ |

宝宝刚出生的时候根本不知道，自己的身体跟你的身体其实是分开的。但随着宝宝肢体能力的增强，他会对自己的身体越来越感兴趣，这一表现会一直延续到宝宝的学步期。活动能力的增强还让宝宝可以享受那些需要更多体能、有更多互动的游戏。在这个简单的健身游戏中，你要非常轻柔、非常缓慢地握着宝宝的腿做骑自行车的动作，同时对他微笑、跟他讲话，鼓励他不靠你的帮助自己尝试蹬腿。不知不觉间，他会学会抓住自己的脚——最后学会自己蹬腿！

伸伸腿、蹬蹬脚，这感觉好极了——特别是有妈妈在一旁教宝宝怎么做的时候。

如果宝宝喜欢这个游戏，家长可以让他再试试第24页的游戏"婴儿按摩"。

"双腿蹬啊蹬！"

3 个月及以上

3

伸展运动

舒缓的体操

"I'm a Tiny Baby"（我是一个小宝宝）

 "Eensy-Weensy Spider"
（中文曲目《我是一个粉刷匠》）

I'm a tiny baby.	我是一个小宝宝
I'm soft and round and small.	运动本领强,
But when I'm busy stretching,	伸伸手来伸伸脚,
I feel so big and tall.	长得高又壮。
My arms are getting long,	我的手臂有力气,
and my legs are	腿脚也很强,
getting strong.	
And the next thing you know,	爸爸妈妈等着瞧,
I'll be learning how to crawl.	我要会爬了。

身体感知能力	✓
触觉刺激	✓

如果宝宝喜欢这个游戏，家长可以让他再试试第56页的游戏"骑自行车"。

一只小手向上、一只小脚向下，简单的伸展运动可以让宝宝和家长一起放松。

妈妈的子宫中蜷缩了9个多月的宝宝，在刚出生的时候还是常常喜欢将身体蜷成个小球——没错，就像在妈妈肚子里的姿势一样。简单的伸展运动可以帮他意识到自己的小手臂和小腿的存在。先让宝宝仰卧在床上、尿布台上或地板上，然后轻柔地将他的一只小手臂举过头并向上伸展。之后换个方向，将宝宝的手臂向下伸展。你也可以尝试同时向相反方向伸展宝宝的两只手臂——一只向头的方向，一只向脚的方向。还可以轻轻将他一侧的手臂向头顶方向伸展，同时将另一侧的下肢向下伸展，形成一条对角线。

抓玩具

你能不能抓住我

宝宝看近距离物体的能力已经与成人不相上下了，但她抓取物体的能力仍然无法与成人相比。想要锻炼宝宝的这种能力，你可以找一段色彩鲜艳的彩带或绳子，在其一端绑上小毛绒玩具或磨牙棒。然后在宝宝面前来回晃动，让玩具从一侧荡到另一侧，鼓励宝宝将身体探过去抓玩具。宝宝伸出手去拨弄玩具，甚至抓住玩具之后，你要表扬她。但一定要记住在宝宝独处时要收好彩带，因为它可能给宝宝带来危险。

当宝宝伸出小手去抓那个粉色的毛绒小狗时，她不仅是在练习抓取物体，同时也是在试着与周围的世界互动。

技能点睛

3个月左右的时候，大部分宝宝都可以转动头部来追踪移动的物体。具体来说就是，假如有东西向左侧移动，宝宝就会跟着物体的移动向左转头，不像新生儿只会通过转动眼睛来追踪物体。但她的抓握能力仍然需要锻炼。伸手去抓移动的物体可以帮她进一步强化身体两侧的协调能力。

✓ 手眼协调能力
✓ 精细动作能力
✓ 视觉发育

如果宝宝喜欢这个游戏，家长可以让她再试试第96页的游戏"大弹球"。

61

翻来滚去

熟悉运动

技能点睛

学习如何翻滚通常需要经过数周的左右摇摆练习。通常来说，宝宝要到5个月大时才有足够的力气和协调能力来翻身。这个游戏可以锻炼宝宝身体两侧的协调能力，而这是翻身这个基本动作所必需的。

虽然从这个月龄的宝宝在尿布台上滚动的样子来看，他们好像天生就会翻滚，但事实并非如此。其实宝宝要到五六个月的时候才能学会翻滚。你可以帮她从仰卧或俯卧的姿势翻到一侧，为宝宝掌握这项重要的基本技能做好准备，这样做还能锻炼宝宝身体两侧的协调能力。让宝宝仰卧或俯卧在大浴巾或毯子的一侧，然后将宝宝所处的这一侧轻轻抬起，这样她就会翻滚成侧卧的姿势。你也可以拉着毯子，轻轻地前后晃动宝宝，让她学习如何摆动身体。宝宝刚开始练习翻滚时，可能需要你帮她将胳膊抽出来。

平衡能力	✓
双侧协调能力	✓
身体感知能力	✓
大运动能力	✓

如果宝宝喜欢这个游戏，家长可以让她再试试第80页的游戏"滴答，滴答"。 ▶

慢慢地拉动毯子可以让宝宝向正确的方向翻滚。

瞄准目标

踢腿游戏

技能点睛

　　脚眼协调能力对宝宝很重要，因为以后他需要通过眼睛所看到的控制双脚的动作，这样才能学会避开障碍物行走。

宝宝这时应该已经发现了踢动两条小腿的乐趣。拿一个东西给他踢，可以让宝宝的踢动更有目的性。宝宝仰面躺着的时候——在尿布台上、床上或地板上——在他的双脚能够很容易踢到的位置举一个枕头、毛绒玩具、烤盘或是你的手。如果宝宝不知道该怎么玩，你可以先引导他，让他用自己的脚去踢目标物，当他的脚碰到目标物的时候就表扬他。一旦他明白该怎么做，就会不知疲倦地一遍遍玩下去。

身体感知能力	✓
脚眼协调能力	✓
听觉能力	✓

通过这个游戏，宝宝能看到自己的脚碰到了目标物、能听到碰撞发出的声音、能感受到脚底贴在盘子上的感觉。

藏猫猫

同一游戏多种变化

妈妈刚才还在这里，之后就不见了，可现在又出现了。藏猫猫游戏永远是宝宝的最爱。6~7个月左右，婴儿会开始理解什么是物体的恒存性——即使物体暂时离开她的视线也仍然存在。藏猫猫游戏是家长带着小宝宝探索这一概念的最好方式。你可以将一张小毯子或毛巾挡在脸前，同时问宝宝："妈妈在哪里？妈妈哪儿去了？"然后重新露出脸来。你也可以找一条薄毛巾盖在宝宝的脸上，然后突然取掉，在宝宝的小脸重新露出来时大叫："藏猫猫！"

技能点睛

在新生儿的思维中，某个物体一旦从视线中消失，那就代表着它彻底不存在了。看着你一次次在毛巾后面出现、消失，她会渐渐知道即使你暂时不见了，你仍然存在。这一能力的掌握——即保存心理意象的能力——是宝宝发展语言能力的前提。等宝宝长大些，他就可以自己将毯子盖到脸上（或许是无意识的），这时你会看到她高兴得手舞足蹈、尖叫个不停，因为她现在已经能够理解这种现象并运用自如了。

| ✓ | 物体恒存性 |
| ✓ | 社交发育 |

对宝宝来说，"藏猫猫"不仅是个有趣的游戏，而且可以让她意识到在她看不到妈妈的时候，妈妈其实并没有消失。

学宝宝说话

小宝宝的语言课

技能点睛

作为家长，回应宝宝发出的声音很重要，因为这是你在鼓励宝宝用声音取代哭声与外界进行交流。对宝宝发出的声音进行强化会告诉他，你很重视他想说的东西，这样做会让宝宝觉得掌握语言很有成就感，从而对宝宝的语言发育产生长期的积极影响。

语言发展	✓
听觉能力	✓
社交发育	✓

如果宝宝喜欢这个游戏，家长可以让他再试试第123页的游戏"小老鼠手偶"。▶

3 ~ 6个月的小婴儿常常是一个快乐的小社交家，因为他会发出各种有趣的唧唧咕咕声、尖叫声、咕噜声，还会露出令人难以抗拒的微笑。虽然宝宝还无法说出有意义的词语（这种能力要到宝宝1岁左右才会出现），但他会通过发出一些可爱的声音来研究自己平时听到的声音。而当周围人对他的这些发音作出回应的时候，其实也是他学习的一个过程。用婴儿语与他"交谈"可以促进宝宝的语言和交流能力的发展。

● 如果宝宝说"啊"，你要仔细听、认真点点头，然后也说"啊"。如果他说"咕"，你也要重复说"咕"。

● 完成这个小小的热身之后，你可以试着稍微改变他说的话，比如拉长声音（把"吧"变成"吧啊啊啊啊啊"）或在一个音节后再加一些音节（把"噢"变成"噢哈"）。

● 鼓励宝宝模仿你的声音可以激励他尝试更加复杂的语言模式，最终引导他尝试说出单词，然后是短语。

● 注意：这种类型的婴儿语只有在婴儿学会讲话前才具有实践意义。当宝宝开始讲话后，你最好能正确地重复每个字的标准发音，而不是重复宝宝的错误发音，不管宝宝说的话听起来有多么动听。

3个月及以上

研究报告

对6个月以内的宝宝来说，不论是否有人对他们讲话，他们都会发出各种声音。但是如果有人能够耐心为他们示范如何说话，他们会学得更快。确实是这样，所有的宝宝——不管家人使用的是何种语言——在6个月以内发出的声音都差不多。6个月以后，他们会开始重复自己听到最多的声音。

当宝宝意识到是他在主导这次简单的"对话"，他一定会咯咯地笑个不停。

夜间睡眠状态

婴儿在 3 ~ 4 个月时大多已经形成了某种作息规律。有些婴儿的作息规律会让家长感觉很轻松，有些婴儿的作息规律则会成为家长面临的最大挑战——晚上几乎每个小时都会醒来一次，白天每次的睡眠时间从不超过半小时，甚至出现日（清醒时间）夜（睡眠时间）颠倒或者介于以上两种情况之间的某种情况。

让婴儿养成"合理"的作息时间事实上既属于一个常识问题，又属于一个时间问题，同时还需要家长付出一些勇气和耐心。

培养日间作息规律：为外出、洗澡、游戏和吃饭安排好相对规律的时间。规律的生活可以帮助宝宝体内生物钟的形成。

培养夜间作息规律：洗个热水澡、换上舒服的睡衣、唱支摇篮曲、读一些书……都是让宝宝进入梦乡的传统方式。此外，还要让宝宝知道，晚上起来喝奶就只是喝奶，而不能游戏。在夜间给宝宝喂奶时，屋内的光线要暗一些，喂奶过程中不要跟宝宝讲太多话，不要让她玩东西或看电视，只要宝宝吃完就立刻将她以仰卧姿势放回婴儿床里。

6 个月以后，宝宝就不必在夜里吃东西了。如果宝宝在半夜哭闹，有些家长会先让宝宝哭几分钟，然后安抚她一下，之后再让她哭一会儿。有些家长则会继续喂奶、哄、抱或哼唱摇篮曲，希望孩子最终会一觉睡得越来越久。无论怎样处理，最后，大部分宝宝都会学会自己入睡，这是一个非常重要的技能。

让小宝宝安静地睡一整夜的最好方法是什么？对每个家庭来说方法都不是完全一样的。让你和你的宝宝感到最舒服的方法才是最有效的——这要视情况而定。

宝宝俯卧撑

增强上肢力量

宝在学坐之前不仅得能保持头部直立，还需要学会运用肩膀、颈部和整个背部的肌肉。你可以用一个柔软的"枕头"作支撑物，帮助宝宝发展相应部位的肌肉力量。将一块浴巾卷起，用柔软的布质发套固定其两端，然后在宝宝趴在地板或地毯上时将浴巾卷塞到他的手臂和胸部下方。这个支撑物可以让他更长时间地抬起颈部和肩膀，并帮助他用双臂支撑整个身体的重量。这样做还可以给他一个更加开阔的视野——这也是爸爸妈妈给他照相的好时机。

技能点睛

类似这样的支撑物可以帮助宝宝练习用前臂支撑身体的重量，从而增强宝宝的手臂力量和背部肌肉的力量，为接下来的坐和爬做好准备。而让宝宝从一个全新的角度来看世界也可以刺激他的视觉发育，并能鼓励他伸手抓东西、翻滚，甚至向前匍匐爬行。

像这样将头高高抬起的时候，宝宝会看到一个不一样的世界。

✓	情感发育
✓	社交发育
✓	上肢力量

如果宝宝喜欢这个游戏，家长可以让他再试试第76页的游戏"趴趴乐"。▶

友好的面孔

图中的面孔

技能点睛

宝宝视觉能力的特点和她希望与人互动的意愿，使她对人类的面部表情非常敏感。一本由众多人像组成的书可以让宝宝学到很多东西。她可能只是单纯地盯着书中的人像——视线在照片中的人的眼睛和嘴巴之间打转，也可能用小手指着照片里的人或是跟照片中的人讲话。

社交发育 ✓
视觉分辨能力 ✓

巧手课堂

你可以自己动手制作一本头像书：找些照片（可以从杂志里剪些插图，也可以从自家的相册里找一些），用胶水将其粘在硬纸板上，将透明的塑料保护膜在照片上起保护作用。你也可以直接将照片插在相册里。

3 个月以后，小宝宝会对人的面部表情非常感兴趣，甚至会报以微笑或大笑。她还可以辨认出自己的家人和陌生人。所以现在宝宝趴在别人肩膀上看到你时会露出迷人的笑容，而看到你的朋友时只会好奇地盯着对方。这也是为什么每天早上你出现在她的小床边时，宝宝会兴奋地动来动去的原因——她能认出你的样子，而且她非常喜欢你。给宝宝一本汇集了不同面孔的书——不管是买的还是你自己做的，让她了解更多关于人的面孔、面部表情与情绪之间的关系。你甚至会发现宝宝在欣赏照片时已经开始有了自己的喜好——可能冲着一个抱着小狗的小男孩或者是爸爸年轻时戴着渔夫帽的青涩照片傻笑。

指认家庭合影中的每位成员可以帮助宝宝将家人的名字和他们的面孔联系起来。

音乐欣赏时间

摇篮曲可以安抚躁动不安的小宝宝，但是儿歌和有趣的歌谣——通常朗朗上口、便于记忆——对婴儿来说也很重要。吟唱儿歌和歌谣时，那优美的旋律、和谐的节奏，可以给婴儿以美的享受和情感熏陶。

I'm a Little Teapot（我是一把小茶壶）

I'm a little teapot,	我是一把小茶壶，
short and stout.	个头矮又胖。
Here is my handle,	这是我的把儿，
here is my spout.	这是我的嘴儿。
When I get all steamed up,	当水烧开的时候，
hear me shout,	我会大声叫，
Tip me over	快把我倾斜，
and pour me out!	让水倒出来！

唱这首歌时，可以把一只手放在髋部，当作壶把，另一只手放在另一侧，当作壶嘴。

See-Saw, Margery Daw（跷跷板，玛杰丽·道）

See-saw, Margery Daw,	跷跷板，玛杰丽·道，
Jack shall have a new master.	杰克就要有一个新主人了。
He shall have but a penny a day	每天他只能得到一个便士，
because he won't work any faster.	因为他不愿卖力干活。

Baa Baa Black Sheep（咩咩小黑羊）

Baa baa black sheep,	咩咩小黑羊，
have you any wool?	你的羊毛呢？
Yes sir, yes sir,	全都剪光了，
three bags full.	一共三大袋。
One for my master,	一袋给主人，
and one for my dame,	一袋给夫人，
and one for the little boy	最后一袋给
who lives down the lane.	小巷的乖宝宝。

Little Jack Horner（小杰克·霍纳）

Little Jack Horner
sat in a corner,
eating a christmas pie.
He put in his thumb
and pulled out a plum
and said "What a good boy am I."

小杰克·霍纳
坐在墙角处，
吃着圣诞派。
他伸出手指，
抓出个果子，
笑着说："我真棒！"

Peas Porridge Hot（豆粥热）

Peas porridge hot,
peas porridge cold,
peas porridge in the pot,
nine days old.

豆粥热，
豆粥凉，
豆粥放在锅里
已经整 9 天。

Some like it hot,
some like it cold,
some like it in the pot,
nine days old.

有人爱喝热，
有人爱喝凉，
有人爱喝
放了 9 天的豆粥。

儿歌可以让宝宝了解到语言
和音乐一样有着美妙的韵律。

Eensy-Weensy Spider（小蜘蛛）

The eensy-weensy spider went
up the water spout.
Down came the rain and
washed the spider out.

小小蜘蛛
爬呀爬水管。
大雨哗啦啦，
冲跑小蜘蛛。

Out came the sun and
dried up all the rain,
and the eensy-weensy spider
crawled up the spout again.

太阳公公出来啦，
晒干了雨水。
小蜘蛛呀快快爬
再爬上水管。

照镜子

那个宝宝是谁?

技能点睛

端详着自己的样子、跟镜子里的自己互动,这些都可以增强宝宝刚刚萌生的自我意识。如果她趴着,这个动作还能够锻炼她的肌肉力量,为以后的坐和爬打下基础。

上肢力量	✓
视觉刺激	✓

如果宝宝喜欢这个游戏,家长可以让她再试试第29页的游戏"面部表情"。

3 ~ 4个月的宝宝能够自娱自乐几分钟——这对宝宝和家长来说都是一个激动人心的突破。你或许在一大早就会听到她对着自己的脚趾咯咯大笑、看到她举起两只手在面前摆弄或是正好看到她专注地注视着房间里的某个物体。4个月左右,宝宝不仅可以看到还能够追踪物体,这意味着她可以一直盯着某个人或物在她周围移动。现在宝宝已经可以在俯卧时抬起头来了,在婴儿床上放置一块镜子可以给她带来很多快乐。虽然她还不知道镜子里的那个小宝宝就是自己,这要等到她15 ~ 18个月的时候才会明白。但是,她看到自己的样子时仍然会很开心地露出笑容——她能感受到镜子里那个有趣的小人儿对她表现出的热情。

你的宝宝会很喜欢这个新玩伴,虽然她并不知道镜子里的那个人就是她自己。

趴趴乐

锻炼颈部和背部

技能点睛

宝宝趴着的每一分钟其实都在锻炼他的双臂、颈部和背部肌肉的力量。你的陪伴可以让宝宝觉得趴着是一件很正常的事情，同时你对他的成绩（虽然很小）作出肯定还会增强他的信心，让他坚持得更久。当他觉得很不舒服的时候，你要帮他翻过身（这是应该的），这样你的宝宝就会知道有人正在注意他发出的信号，并会对其作出适当的回应。

3个月左右的时候，有些宝宝在被家长以俯卧姿势放在床上时仍会用哭闹来抗拒。其实让宝宝每天趴一会儿对他的成长来说是很重要的，因为这有助于增强他颈部、肩部和背部的肌肉力量，为以后的坐和爬做好准备。

● 不应该强迫宝宝保持他不舒服的姿势，但你可以趴在他面前，在他视线范围内放一些他喜欢的玩具，然后看着他的眼睛，跟他做一些互动游戏，引导他主动趴着。

● 如果他在趴的同时还能做一些不同的动作，你要给予宝宝鼓励。宝宝可能兴奋地划动四肢"游泳"，或者将手臂摆成鸟儿展翅飞行的姿势并来回摆动。

● 即使宝宝每次只肯趴一两分钟，你也不用担心。观察他的反应，当他感到厌倦的时候就停下来，反正过一会儿你还可以让他接着玩。虽然很多宝宝都觉得趴着是一件很有挑战性的事情，但对宝宝来说，这是他们以后学习坐立、爬行和走路的前提。

情感发育	✔
社交发育	✔
上肢力量	✔

看到妈妈趴着，宝宝会觉得自己也可以试试看。

你可能留意到有些医生对婴儿以仰卧姿势入睡提出了一些疑虑（目前多数儿科医生都建议让婴儿以仰卧姿势入睡，因为这样可以避免"婴儿摇篮猝死征"或"婴儿猝死综合征"的发生），他们认为这样婴儿的颈部和背部将得不到足够的锻炼，从而阻碍其大运动能力的发展。事实上，近期的很多研究结果都显示，尽管一些习惯仰卧的婴儿掌握翻身和爬行能力的时间比那些经常趴着睡觉的宝宝要晚一些，但他们学会走路的时间基本相同。

"宝宝，看这里！"

调动其他人参与

在大部分家庭中，照顾孩子的主要工作都是由母亲承担的，这是个不争的事实。遗憾的是，母亲们做得越多，她自己——包括身边的其他人——就越觉得只有她才知道怎么照顾孩子。以下这些建议，可以让其他家庭成员也参与到照顾宝宝以及与宝宝做游戏的过程中。

父亲的角色：研究显示，如果母亲在家全职照顾宝宝而父亲出去工作，母亲给宝宝换尿布的次数平均是父亲的 10 倍；做饭的次数是父亲的 3 倍；陪孩子玩的时间是父亲的 8 倍。统计还显示，如果父母都要上班，母亲花在孩子身上的时间仍然要比父亲多得多。这会让母亲觉得自己是育儿专家，而父亲觉得自己在照顾孩子方面什么都做不了。

母亲应该怎么做？将需要注意的事项告诉你聪明的另一半（比如宝宝现在有能力滚下床了），然后走开，让父亲自己去研究该怎么照顾宝宝。如果他把尿片包得太松或让宝宝保持一个她觉得不舒服的姿势，他很快就会发现自己的错误。

祖父母／外祖父母：他们的育儿观念可能与你不同，或者有些落伍，也可能他们已经忘了要怎么照顾婴儿。但对宝宝来说，祖父母／外祖父母的关爱是无人可替代的。跟老人仔细解释清楚哪些玩具比较安全、宝宝比较喜欢玩什么游戏、觉得什么姿势比较舒服……这会让大家都很轻松。告诉祖父母／外祖父母们宝宝的喜好，然后让宝宝尽情享受来自老一辈的宠爱。

保姆：经常照顾孩子的保姆会很清楚宝宝喜欢什么玩具、怎么安抚哭泣的宝宝、宝宝可能惹出什么样的麻烦……如果遇到那些偶尔照顾孩子的保姆，则需要你将这些情况对其讲明。告诉保姆宝宝的衣服和急救箱放在什么地方、留下紧急联络电话号码，然后再离开。对家长和宝宝来说，能找到一个值得信赖的保姆，确保小家伙的安全才是最重要的。

魔力风车

被风吹动的风车

到 4个月左右，宝宝的视觉已经有了显著发展，他不但可以控制头部的转动，还能够伸手去抓东西。这意味着他已经准备好了，想要——而且很急切地想要——体验外部世界的一切精彩。可以给他看看当你吹动风车时，叶片转动起来后风车那美丽的色彩。宝宝在1岁之前还不会吹风车，但他会很喜欢看着你在空中挥动风车。（这个年龄段的宝宝大多想要用手去抓风车，为了宝宝的安全，不要让他抓到，因为风车锋利的边缘可能割伤宝宝，而且风车上的小部件也有被宝宝吞食的危险。）你还可以将风车插在花盆里并将其放到室外，然后让宝宝坐在旁边，观察风车转动时各种颜色在旋转中融为一体的情景。

技能点睛

漂亮的风车可以迷住大多数的宝宝，小宝宝——3个月左右——会对转动的风车很着迷，还会用小拳头对着风车猛挥。到6个月左右，他就能够看清并且抓到风车了。你还可以唱一些关于风车转动的歌来增加游戏的乐趣。

✓ **社交发育**

✓ **视觉发育**

如果宝宝喜欢这个游戏，家长可以让他再试试第61页的游戏"抓玩具"。

爷爷手里色彩鲜艳的大风车可以吸引宝宝的注意力，祖孙俩可以进行一次快乐的互动。

滴答，滴答

钟摆游戏

"Follow Me Around the Clock"
（跟我绕着时钟走）

Follow me around the clock,　跟我绕着时钟走，
tick tock, tick tock.　滴答，滴答。
　　　　　　　　　　　（将宝宝轻轻地
　　　　　　　　　　　左右摇摆，下同。）

Follow me around the clock,　跟我绕着时钟走，
tick tock tick.　滴答，滴。

Count with me　和我一起数，
from 1 to 12,　从 1 到 12，
tick tock, tick tock.　滴答，滴答。

Follow me around the clock,　跟我绕着时钟走，
tick tock tick　滴答，滴。

1 – 2 – 3 – 4　1 – 2 – 3 – 4
tick tock, tick tock.　滴答，滴答。
5 – 6 – 7 – 8　5 – 6 – 7 – 8
tick tock tick.　滴答，滴。
9 – 10 – 11 – 12　9 – 10 – 11 – 12
tick tock, tick tock.　滴答，滴答。

平衡能力	✓
身体感知能力	✓
听觉能力	✓

这是一首很简单的歌谣，伴随着轻柔的摇摆和抬举动作，这个游戏肯定可以让大多数宝宝都很开心。托住宝宝的身体，让她的头部保持直立。你可以站着或坐着，让宝宝面朝你或背朝你。宝宝也很喜欢看其他人做这个游戏，所以如果宝宝有个小玩伴，家长们在唱歌做游戏的时候就可以让两个宝宝面对面。等宝宝长大变重后——你发现很难将宝宝这样举起来的时候，你可以将游戏变成膝上骑马游戏，动作改为前后晃动和用你的腿轻轻上下颠宝宝，同时歌词可以做出相应改动。

颠！颠！

◀ 如果宝宝喜欢这个游戏，家长可以让她再试试第44页的游戏"毯子摇摇"。

研究报告

你可能觉得宝宝并没有在认真听音乐，但是事实上近年来有很多研究都显示，婴儿可以记住乐曲，也能理解旋律，一些乐曲甚至可以勾起他们的记忆。在一个对3个月大的婴儿进行的实验中，研究者在宝宝们玩玩具的时候播放了一首曲子，然后分别在1天和7天之后给宝宝们重播了这首曲子，听到乐曲的宝宝们立刻玩起他们第一次听到这首乐曲时玩的玩具来。

宝宝还不知道什么是钟摆，但让她像钟摆一样来回摆动对她来说是非常有趣的。

81

抓不到

鼓励运动

技能点睛

在宝宝可以独自坐立前，他就会开始从一侧滚到另一侧，这意味着他开始意识到自己是可以自主移动的。用一些看起来很有趣的物体来鼓励他提高这种正在不断增强的运动能力。在练习中加入有趣的互动，有助于在你和孩子之间建立更亲密的关系，同时还能帮助宝宝树立自信心。

| 大运动能力 | ✓ |
| 社交发育 | ✓ |

你可以在宝宝差一点儿就可以触到的位置摆放一些有吸引力的物体（如色彩鲜艳的球、毛绒玩具、宝宝喜欢的图画书，还有最重要的是有你的陪伴），鼓励宝宝通过抓东西和移动自己的身体进行最初的探索。鼓励宝宝用任何方式来拿这些物体，可以匍匐爬行，可以一路滚过去，也可以尽可能地伸展身体。但不要取笑宝宝，而是要通过游戏来建立宝宝的自信心。如果他看起来有些沮丧，那就将玩具递给他，然后表扬他之前所付出的努力。

伸展、翻滚，还有"趴趴时间"可以让宝宝的身体更加有力，从而使他尽快学会爬行。

肚皮上的球

提高身体的感知能力

宝刚出生的时候还不清楚你和他是两个不同的独立个体，也不知道哪些部分属于他的身体，哪些部分属于你的身体。你可以拿一个小沙滩球先在宝宝的肚皮上轻轻滚动，再沿着他的四肢上下滚动，这样可以促进宝宝刚刚开始萌生的身体感知能力，同时对宝宝的身体也是一种刺激。宝宝会试图抓住球或踢球吗？随他去吧——这是一个能够很好地锻炼宝宝身体协调性的游戏。你也可以让宝宝趴着，然后拿着沙滩球从他背上往下滚。玩滚球游戏时唱些儿歌可以增加游戏的乐趣。

技能点睛

让沙滩球在宝宝身上轻轻地滚动可以为宝宝带来触觉刺激，帮助他更好地提高身体的感知能力，而抓住球可以锻炼他的手眼协调能力。当宝宝长大后，你可以帮助他在坐直的同时抱着沙滩球，这有助于提高宝宝的平衡能力。

✓	平衡能力
✓	身体感知能力
✓	触觉刺激

如果宝宝喜欢这个游戏，家长可以让他再试试第41页的游戏"挠痒游戏"。

沙滩球在宝宝身上滚动时产生的压力可以帮助宝宝进一步了解自己的身体。

快乐的小厨师

现在你也能做饭了

技能点睛

宝宝会不停地摆弄这些杯子和勺子——掉下、捡起、放进嘴里，这其实是宝宝在学习如何使用他的双臂和双手的过程。这个游戏可以帮他了解物体的物理特征，比如光滑、粗糙、冰冷、坚硬、轻、重。在游戏过程中，你的加入可以让宝宝更容易成功。

虽然宝宝现在可以伸出手去抓住自己想要的东西——摇铃、毛绒玩具或你的头发——但他仍然无法自如地控制手中的物体。如果想要灵活地运用双手，宝宝必须合理地控制手腕、手掌和手指的力量，还要正确判断物体的形状和物体与自己之间的距离，这些都需要经过大量的练习。一套塑料量杯和量勺是宝宝这一阶段的最佳玩具，因为它们易于抓握，而且还有光滑的表面。如果你的宝宝已经能够自己抓起物体，那你只需将这些东西放在他周围。如果他还抓不住，那就将量勺放在他手里，鼓励他抓住。假如宝宝将勺子塞进嘴里，你无需惊慌，也不要觉得失望，因为将物体放在嘴里啃咬对这个年纪的宝宝来说是探索世界的最佳方式。

手眼协调能力	✓
精细动作能力	✓
大运动能力	✓

通过摆弄这些勺子，宝宝会知道该如何使用自己的手和胳膊。此外，这个游戏还可以让他了解不同物体的大小。

◀ 如果宝宝喜欢这个游戏，家长可以让他再试第61页的游戏"抓玩具"。

研究报告

　　宝宝的"左右手倾向"有遗传因素，妈妈是左撇子还是右撇子或许会对宝宝有很大的影响。近期，美国芝加哥的保罗大学在一项婴儿 - 母亲配对调查中发现，婴儿在玩玩具的过程中时常和母亲的左右手倾向一致，而且随着宝宝年龄的增长这种情况会逐步明显。很抱歉，爸爸的左右手倾向对孩子没什么影响，大概因为妈妈跟孩子相处的时间要比爸爸长得多。

膝上骑马游戏

宝宝坐在你的膝盖上，然后抬起膝盖并轻轻晃动双腿，同时还要唱一些欢快的儿歌为游戏增添乐趣。这是宝宝掌握节奏感、锻炼平衡感的好方式。

To Market, To Market（去市场，去市场）

To market, to market,
to buy a fat pig,
home again, home again,
jiggety jig.

去市场，去市场，
买头大肥猪，
回家喽，回家喽，
今天真高兴。

To market, to market,
to buy a fat hog,
home again, home again,
jiggety jog.

去市场，去市场，
买头大肥猪，
回家喽，回家喽，
今天真高兴。

To market, to market,
to buy a plum bun,
home again, home again,
market is done.

去市场，去市场，
买个李子面包。
回家喽，回家喽，
东西买齐啦。

Knees up Mother Brown（布朗妈妈颠起来）

There came a girl from France,
who didn't know how to dance.
The only thing that she could do
was knees up Mother Brown.

有个女孩从法国来，
她不知怎么舞起来，
她只知道一件事，
布朗妈妈颠起来。
（你的膝盖上下移动。）

Oh, knees up Mother Brown,（唱 2 次）
knees up, knees up,
never let the breeze up,
knees up Mother Brown.

哦，布朗妈妈颠起来。
颠起来，颠起来，
别让微风吹上来，
布朗妈妈颠起来。

Oh, hopping on one foot,（唱 2 次）

哦，来个单脚跳，
（你一侧的膝盖上下移动。）

hopping, hopping, never stopping,
Hopping on one foot.
（重复第二段）

跳呀，跳呀，别停下来，
来个单脚跳。

Oh, hopping on the other,（唱 2 次）
...

哦，换另一只脚跳……
（你另一侧的膝盖上下移动。）

And whirling round and round,（唱 2 次）

现在来转圈，
（你的双腿左右晃动。）

whirling, whirling, never twirling...

转呀，转呀，别停下来……

Skip to My Lou（跳到妈妈的怀里）

Lost my partner, what'll I do? 小伙伴不见了，怎么办？
（有节奏地前后晃动宝宝。）
Lost my partner, what'll I do? 小伙伴不见了，怎么办？
Lost my partner, what'll I do? 小伙伴不见了，怎么办？
Skip to my Lou, my darling. 跳到妈妈怀里，宝贝。

Skip, skip, skip to my Lou, 跳到妈妈的怀里，
（有节奏地左右晃动宝宝。）
skip, skip, skip to my Lou, 跳到妈妈的怀里，
skip, skip, skip to my Lou, 跳到妈妈的怀里，
skip to my Lou, my darling. 跳到妈妈怀里，宝贝。

Flies in the buttermilk, 牛奶里有蜜蜂，
shoo fly shoo, 嗡嗡嗡，
（晃动膝盖，唱"嗡"
的时候要夸张些。）
flies in the buttermilk, 牛奶里有蜜蜂，
shoo fly shoo, 嗡嗡嗡，
flies in the buttermilk, 牛奶里有蜜蜂，
shoo fly shoo, 嗡嗡嗡，
skip to my Lou, my darling. 跳到妈妈怀里，宝贝。

Cats in the cream jar, 奶粉罐里有猫咪，
whoo whoo whoo... 喵喵喵……
（上下移动双膝。）

My Bonnie（我的兔宝宝）

My Bonnie lies over the ocean. 我的兔宝宝躺在海上，
（将宝宝向左摇。）
My Bonnie lies over the sea. 我的兔宝宝躺在海上，
（将宝宝向右摇。）
My Bonnie lies over the ocean. 我的兔宝宝躺在海上，
（将宝宝向后倾斜。）
Oh bring back my Bonnie to me. 我的兔宝宝快回来吧。
（将宝宝紧紧接在怀里。）
Bring back, bring back, 快回来，快回来，
（前后轻轻晃动宝宝。）
oh bring back my Bonnie to me, 我的兔宝宝快回来吧。
to me.
（前后轻轻晃动宝宝。）
Bring back, bring back, 快回来，快回来，
oh bring back my Bonnie to me. 我的兔宝宝快回来吧。
（给宝宝一个大大的拥抱。）

The winds have blown 风从海上
over the ocean... 吹过……
And brought back 把我的兔宝宝
my bonnie to me.... 带了回来……

几乎没有宝宝可以抗拒这
样的游戏——在爸爸或妈
妈怀里听着有趣的儿歌，
同时被有节奏地晃来晃去。

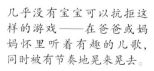

飞高高

飞行练习

技能点睛

尽管有你牢牢地托着他，但是这个"飞翔"游戏仍然有助于宝宝肩背部肌肉的发育，特别是当宝宝抬起头左顾右盼的时候。宝宝在游戏中还有机会锻炼自己的平衡能力。虽然你绝对不会让他真的飞出去，但宝宝在"飞上"、"飞下"的时候仍会感到自己的重心发生了变化。

| 平衡能力 | ✓ |
| 上肢力量 | ✓ |

或许在你小的时候，你的叔叔曾将你高高抛起——而且你可能非常喜欢这样——但是考虑到安全因素，我们现在并不推荐这种将小宝宝当做沙滩球一样抛来抛去的游戏。不过，你仍然可以带着宝宝享受快乐的"飞翔"游戏——只是一定要时刻抓稳他的小身体，同时为了确保安全，动作幅度不要太大。和宝宝面对面地坐在地板上，将宝宝举起，然后你需要顺势躺下并将宝宝举到你的上方。你也可以仰卧在地上，身体蜷起来，让宝宝趴在你的小腿上，抓稳宝宝的双臂，然后轻轻摇晃或抬起你的小腿。不管是采用哪一种方式，虽然你一直牢牢地托着宝宝，但他还是很享受在空中"飞翔"的感觉。这时如果你能边做动作边唱儿歌《我飞得很高》，宝宝会更开心。

欢快的歌谣、妈妈结实的双臂和灿烂的笑容都让这个"冒险游戏"变得安全而有趣。

如果宝宝喜欢这个游戏，家长可以让他再试试第62页的游戏"翻来滚去"。

3 个月及以上

"I'm Flying High"（我飞得很高）

 "I'm a Little Teapot"
（中文曲目《我是一个粉刷匠》）

I'm a little baby,	我是一个小宝宝,
I fly high.	飞得高又高。
Here is the floor,	地板怎么上天了,
here is the sky.	天空颠倒了。
Like a little bird	我像小鸟和蝴蝶,
or butterfly.	飞得高又高。
Now up! I go—	再高一点高一点,
I'm flying high.	宝宝飞得高。

见第 72 页 "I'm a Little Teapot" 的原歌词。

89

宝宝的第一本书

开始阅读

技能点睛

读书时与父母亲密的身体接触会给宝宝一种亲切感和幸福感。确实，假以时日，读书时间不但可以变成一种美妙的睡前仪式，也会是一种安抚烦躁不安、生病或兴奋过度的宝宝的好办法，而且逐一读出图片中物体的名字可以扩大宝宝的词汇量。

宝宝还太小，无法理解故事的内容，甚至很可能还无法翻页。但是为宝宝阅读书籍是你能为他做的一件非常有意义的事情，因为这样做可以让他了解阅读的乐趣，从而培养他的阅读兴趣。

● 开本较小的方形纸板书最适合这个年龄段的宝宝，因为它不但易于阅读，而且还可以让宝宝啃咬、拍打、乱抓——即使这样也不会损坏书页。6个月到1岁的宝宝能够自己翻页，所以塑料洗澡书或布书会比较适合他们阅读。

● 此时，有彩色图片和较少文字的书是最好的选择，这样的书中没有太多文字叙述，可以带领宝宝走进图像的世界。给宝宝指出每张图片中的物体——"看到鸭子了吗？"、"袜子在哪里？"总有一天他会让你大吃一惊——自己伸出小手指出图中的物体。

● 大部分小宝宝还无法静静地坐着等家长念完整本书，他们可能更喜欢摆弄书页，但有些宝宝在听到充满节奏感的儿歌和生动的故事时会很投入。你的宝宝最清楚自己喜欢哪一种书，所以你在阅读时要注意他的反应。

情感发育	✓
语言发育	✓
视觉发育	✓

如果宝宝喜欢这个游戏，家长可以让他再试试第70页的游戏"友好的面孔"。

研究报告

宝宝还不能坐得很稳，还分不清母鸡和大货车……作为家长，你可能问，那为什么还要给宝宝读书呢？研究显示，为小宝宝读书可以扩大他们的接受性词汇量（他们能理解的词汇的数量）。美国罗德岛医院曾做过一项研究，研究者比较了两组18个月大的宝宝掌握的接受性词汇量，其中一组宝宝从小经常听家长读书，另一组则没有。经常听父母读书的宝宝的词汇量在婴儿期增加了40%，而那些父母没有为其读书的宝宝的词汇量只增加了16%。

即使很小的宝宝也喜欢依偎在父母怀中，看着彩色的图片听父母讲故事。

3个月及以下

3

眼睛、鼻子、嘴巴和脚趾

身体练习

技能点睛

你的宝宝还无法重复任何身体部位的名称，你还要耐心等待一段时间。但你的触摸可以带给宝宝触觉刺激，让她了解自己身体各部位的名称以及如何活动某个身体部位。告诉她身体各部位的名称并让她记住这些名称，总有一天她会自己将这些名称讲出来。

宝宝不停乱踢的小脚、挥舞的小手，还有不经意间发出的笑声，都标志着她已经知道她能够控制自己身体的动作了。告诉宝宝身体各部位的名称可以强化她这一刚刚萌生的意识。将宝宝放在床上、地毯上或尿布台上，用你的手摸着她的脸说"脸"，然后将她的小手放在你的脸上，重复说"脸"。接下来是她的眼睛、鼻子、嘴巴、下巴、肚子、腿、脚、还有脚趾，每次重复时既要让她感受到自己的身体部位，也要让她感受到你的身体部位。

身体感知能力	✓
语言发展	✓
触觉刺激	✓

"这是你的脸，这是我的脸"。不知不觉间，宝宝就会在你说"脸"的时候抚摸自己的小脸了。

如果宝宝喜欢这个游戏，家长可以让她再试试第66页的游戏"学宝宝说话"。

什么在叫？

动手练习

3 ~ 4 个月大的宝宝大都能够伸手抓东西了。让宝宝抓取某个物体并不是一个简单的游戏，它需要小宝宝很好地控制自己的双手。不过，这会是个令父母倍感兴奋的游戏，因为你会发现宝宝可以将物体拉到自己身边了，而不是等着你拿给他。为了帮助他锻炼这种能力，你可以将 2 个发声玩具放在他面前，你先捏响一个玩具，然后再捏响另一个，鼓励宝宝去抓它们。

技能点睛

最初，在你捏响玩具的时候，你的宝宝可能只会兴奋地手舞足蹈。但会响的玩具对宝宝来说极具吸引力，所以他会开始对着玩具伸出双手——这能够锻炼他的手眼协调能力，同时也能让他知道自己所能接触到的最远的位置。只要他能碰到玩具，就将玩具给他，这样他会有一种成功感和满足感，才会愿意多次尝试这个游戏。

没有几个宝宝能抗拒一个鲜艳的发声玩具发出的响声和它所具有的视觉吸引力，尤其是当爸爸和妈妈都加入游戏的时候。

| ✓ | 手眼协调能力 |
| ✓ | 听觉能力 |

如果宝宝喜欢这个游戏，家长可以让他再试试第 96 页的游戏 "大弹球"。 ▶

宝宝爱泡泡

伸手、触摸、举起手臂

技能点睛

看着泡泡在空中飘荡可以锻炼宝宝的视觉能力，比如视觉追踪能力和双眼对距离、深度的感知。努力挥舞手臂，击打泡泡能够很好地锻炼宝宝刚刚开始发育的手眼协调能力。如果他能抓到泡泡，还会理解什么是因（我碰到泡泡）果（泡泡破了）关系。

巧手课堂

将 1 杯水、1 汤匙甘油（多数药店有售）以及 2 汤匙洗洁精混合在一起制成能够吹泡泡的液体。我们可以用吸管、塑料圈等工具来吹泡泡。切记，不要让宝宝碰到这些东西。

还记得自己小时候每每见到空中飞舞的泡泡时开心的样子吗？别让年龄阻碍你跟宝宝分享这个简单而有趣的游戏。

- 买几种不同的吹泡泡工具，为宝宝吹出大小不同的泡泡。对着一块布、柔软的地毯或水面吹泡泡，会让泡泡保持得更久，这样 5 ~ 6 个月大的宝宝就有机会"抓住"泡泡了。你也可以对着吸管迅速吹气，为宝宝制造一场泡泡雨。看着泡泡在空中飞舞可以锻炼婴儿的视觉能力。

- 在给宝宝换尿布时，一串飞舞的泡泡可以分散他的注意力；在给宝宝洗澡的时候，吹泡泡可以让他觉得洗澡充满了乐趣（浴缸光滑的表面还可以让泡泡保持得更久）；而在户外吹泡泡会让宝宝更加兴奋。分别向高处和低处吹泡泡，然后让宝宝看着泡泡随着气流在空中飞舞。

理解因果关系	✓
手眼协调能力	✓
视觉发育	✓

如果宝宝喜欢这个游戏，家长可以让他再试试第79页的游戏"魔力风车"。

孩子们都很喜欢泡泡——即使是非常小的宝宝。

大弹球

击打练习

技能点睛

宝宝在学会对准目标伸出小手和小脚之前，还无法抓住物体。想要抓住物体不但需要借助手眼协调能力和脚眼协调能力，还需要适时地伸缩胳膊和腿——这些能力的发展需要宝宝经常做些挥手和踢腿的练习。

有时那些最简单的玩具就能给宝宝带来长时间的欢乐。一个彩色的皮球（玩具店有售）就可以吸引半岁以内——以及更大——宝宝的注意力。如果将球吊在天花板或门框上，新生儿会紧紧盯着在半空中来回晃动的球。3~6个月的宝宝在看到悬挂着的球时还会试着用手去打、用脚去踢，最后会努力用两只手臂抱住球。如果没有皮球，可以选择一个彩色的沙滩球。不管选用哪一种球，在宝宝玩球的时候一定要有成人的陪伴。

身体感知能力	✓
脚眼协调能力	✓
手眼协调能力	✓
视觉发育	✓

◀ 如果宝宝喜欢这个游戏，家长可以让他再试试第79页的游戏"魔力风车"。

宝宝会很喜欢拨弄大大的彩球。

跳出来的玩偶

意外惊喜

个类似藏猫猫的游戏、一点儿轻柔舒缓的音乐，再加上从盒子里弹出的意外惊喜，一个适合 5 ~ 6 个月的宝宝玩的完美游戏就出现了。一旦她明白按下按钮，小丑就会从盒子里跳出来，她的期望就会逐渐增强，直到再也无法控制自己的兴奋之情。

很快她就能够将小丑按回盒子里，然后等待你盖好盖子、按下开关，让小丑再次跳出来。

技能点睛

按下按钮时发出的"咔嚓"声和小丑从盒子里弹出来时发出的"砰"的一声，都为宝宝带来了听觉刺激。其次，小丑一次次地出现和消失也增强了宝宝对物体恒存性的理解。

宝宝很希望你来按下按钮，然后由她将小丑按回盒子里。

✓	理解因果关系
✓	听觉能力
✓	视觉刺激

◀ 如果宝宝喜欢这个游戏，家长可以让她再试试第65页的游戏"藏猫猫"。

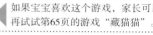

97

小脚印

技能点睛

这个游戏对父母（祖父母、外祖父母、叔叔阿姨以及朋友）和小宝宝来说都非常有趣，而且同时能带给宝宝很多益处。让宝宝感受颜料、布料或纸张的质感可以为他提供真切的触觉体验。此外，如果这个游戏能有另一位家长或其他家长和宝宝的参与那就更好了，因为这有助于宝宝的社交发育。

社交发育	✔
触觉刺激	✔
信任感	✔

你 可能很难想象某一天宝宝的小脚丫会跟隔壁那个一岁半的宝宝的一样大。宝宝每天都在成长，所以别忘了为宝宝留下珍贵的童年记忆——不妨做一些彩色的足印。

- 只需将安全无毒的颜料涂在宝宝的脚上（可以用刷子涂，也可以用你的手直接涂抹），从脚趾到脚跟都要涂满，但不要涂到足弓上。然后将他的小脚——从脚跟到脚趾——按到你选定的表面上，比如一张彩色美术纸、一块布或一件衣服上。这样，一件精美的纪念品就做好了。

- 不要一次做太多纪念品，如果宝宝感到疲倦，就赶紧把染料放到一边，等过几天再做。

- 注意：这个游戏最好有两位成人参与。做游戏时你最好换一件旧衣服，而且最好在手边放一盒纸巾，以备不时之需。

宝宝的足印纪念品会越做越好，但有时候一个小小的意外也会让作品更具趣味。

如果宝宝喜欢这个游戏，家长可以让他再试试第64页的游戏"瞄准目标"。

"看你的小蓝脚！"

6 个月及以上

6

踢踢踢

浴盆芭蕾

技能点睛

踢腿动作可以让宝宝的腿部和腹部的肌肉更加强壮，这对今后的爬行和走路都很重要。有了你的陪伴和帮助，宝宝可以舒舒服服地躺在浴盆里，同时还能积累一些在水中的经验，这些对宝宝日后学习游泳会有很大的帮助。

| 大运动能力 | ✓ |
| 信任感 | ✓ |

大部分宝宝喜欢洗澡就像鸭子喜欢戏水一样，其实有很多方法可以让宝宝的洗澡时间变得更加有趣——而且也更有益。6～9个月的宝宝往往很喜欢坐在浴盆里玩水。你可以在浴盆里装满温水，让宝宝坐在一个防滑垫上，然后鼓励她做踢腿动作——可以让她自己踢水，也可以由你握着她的双腿来帮她轻轻踢水。你还可以托住宝宝的腋下，让她的腹部处于水面下，而头部和肩部露出水面。（这个姿势能够让她在用双腿踢水的同时用手臂拍水。）演唱一些类似《踢踢踢》的儿歌既可以鼓励宝宝，又可以增加游戏的趣味性。

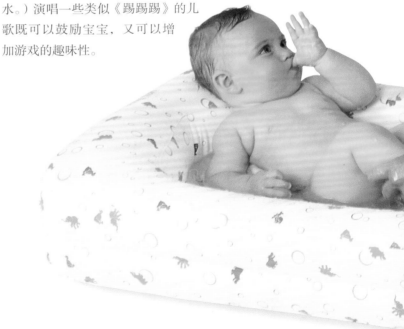

你的一点点帮助会让宝宝
的双腿不停地踢来踢去。

"Kick, Kick, Kick"（踢踢踢）

 和着 乐曲 **"Twinkle, Twinkle, Little Star"**
（ 中文曲目《一闪一闪亮晶晶》）

I am kicking my little feet.	澡盆里面踢呀踢，
I am keeping quite a beat.	洗澡就像做游戏。
I am splashing with my toes.	溅起水花一朵朵，
Look how far the water goes.	落到这里和那里。
I love bathtime, I love kicks.	我爱洗澡我爱踢，
I love learning bathtub tricks.	澡盆游戏真有趣。

见第 43 页 "Twinkle, Twinkle, Little Star" 的原
歌词。

加把劲儿

下肢力量锻炼

技能点睛

婴儿的肌肉发育是从头颈部开始的，然后是肩膀、手臂，接下来是背部，最后是臀部、大腿和小腿。这个年龄段的宝宝的上肢可能已经发育得很好了（正因如此他才可以坐起来），但他们双腿的力量还是有些欠缺，所以他们还不能爬行。这个练习不但可以帮助宝宝增强其双腿的力量，还可以让他了解前进的乐趣。

平衡能力	✓
大运动能力	✓
上肢力量	✓

◀ 如果宝宝喜欢这个游戏，家长可以让他再试试第82页的游戏"抓不到"。

他觉得他可以，他觉得他可以……他觉得他可以匍匐着向前挪动，虽然现在他的动作还不太协调。你可以帮宝宝一下，让他趴在地上，然后用你的手或卷起的毛巾顶着他的双脚。不要推宝宝，而是在他每次想要前进时用你的手顶住他的脚。1分钟的匍匐爬行会很有趣，2分钟的练习就能让宝宝的运动能力更进一步。

有时，你只要在宝宝身后稍微帮他一把，小家伙就能够爬了。

104

内有惊喜

动手的乐趣和神奇的纸张

他开始在抽屉里翻来翻去，在杂志架上东翻西找，将小书架上所有的书都拉出来……宝宝不知疲倦的探索多半会弄得家里一片狼藉，但这些都是婴儿正在发育的标志。有个办法可以让精力旺盛的宝宝做一些非破坏性的事情：将他的玩具用颜色鲜艳的彩色包装纸松松地包起来，然后将其放进一个大的购物袋中，让宝宝去袋子里随便翻找并鼓励他打开包装纸，拿出自己的玩具。这个游戏非常适合家长长时间带宝宝外出的时候，比如驾车、坐火车和飞机去外地的时候。

技能点睛

让宝宝打开包装纸可以锻炼他的精细动作能力，而纸张发出的响声又可以锻炼他的听觉能力——撕包装纸时发出的"刺啦"声会让宝宝很兴奋。刚开始，你可能需要给宝宝示范如何打开包装，宝宝一旦掌握了这个技能，很快就会发现打开包装是件多么好玩的事情。

虽然是他已经玩了几个月的球，但拆开包装纸拿出球仍会让宝宝感到非常惊喜。

✓	**精细动作能力**
✓	**解决问题的能力**
✓	**触觉刺激**

如果宝宝喜欢这个游戏，家长可以让他再试试第172页的游戏"盒子和盖子"。

摇晃、发声、滚动

宝宝的沙槌

技能点睛

掌握摇晃动作、能够创造声音，会让宝宝感到相当骄傲。在一次次地重复制造声音的过程中，宝宝还可以理解什么是因果关系。此外，这个游戏不但有助于宝宝节奏感的发展，而且能开发他的大运动能力。

巧手课堂

塑料材质的调味瓶很适合做沙槌，因为它大小合适，宝宝刚好可以用手将其握住。在瓶里装上米粒、干豆子或小石子，将瓶盖拧紧，然后用胶带或胶水将瓶口封上，接下来就可以让宝宝摇晃沙槌了。

6个月左右的时候，你的宝宝已经能够很好地意识到他的手和手臂是连在一起的，而且他还可以很好地控制手臂和手部的动作。现在他想通过自己的手来探索周围的环境，会用手拍打、抚摸、抓起身边几乎所有东西。在此过程中，他不但会发现这些物体的特点——形状、重量、质地，还有味道——还会对这些物体发出的声音特别感兴趣。你可以在塑料瓶内放些可以发出声音的东西，自制一个简单的沙槌。先给他示范如何摇动沙槌，只要宝宝一学会，你想让他停下来都很难。

理解因果关系	✓
大运动能力	✓
听觉能力	✓

如果宝宝喜欢这个游戏，家长可以让他再试试第116页的游戏"小小作曲家"。▶

"宝宝，使劲儿摇！"

在大人看来，装着豆子的塑料瓶只是个简陋的玩具，但在宝宝看来，这个能发出如乐曲般美妙声音的瓶子可不一般。

跟小伙伴一起将玩具倒出来会更有趣。

倒来倒去真开心

放进、倒出游戏

对那些已经能够坐立并使用双手的宝宝来说，将物体从容器里倒出来，然后装回去再倒出来是他们非常喜欢的游戏。宝宝可以在家里的任何地方找到供他倒空再装满的东西。虽然宝宝很高兴用一上午的时间来倒空家里的垃圾桶，但你可以教他一个更干净、更适合小宝宝玩的放进和倒出游戏。给他一个广口塑料瓶、一些大的塑料储物盒或者一个大不锈钢碗，在容器里装满小东西，比如量杯、塑料碗、积木和小毛绒玩具，然后跟宝宝坐在一起，帮他将容器装满再倒空，重复几次。很快他就会自己忙得不亦乐乎——一遍遍地玩个不停。

技能点睛

倒空、装满容器的游戏除了具有娱乐性外，还可以让宝宝接触诸如"大小"、"空满"等空间概念，此外还能够让他分辨不同物体的大小、形状和重量。倒出和装满容器的动作也可以锻炼宝宝的精细动作能力和大运动能力。

✓	**精细动作能力**
✓	**大运动能力**
✓	**分辨大小和形状的能力**
✓	**空间意识**

如果宝宝喜欢这个游戏，家长可以让他再试试第 136 页的游戏"宝宝的柜子"。▶

109

婴儿的安全

不管宝宝是在翻滚、匍匐前进、爬行、坐、立，还是在随意地动来动去，她都可能受伤。作为家长，你在日常生活中所采取的安全措施要取决于宝宝平时的兴趣爱好（比如，如果宝宝对盆栽很感兴趣，那你就要针对这个情况采取相应的安全措施）。此外，有些安全措施是所有家长必须采用的——无论你的宝宝有何种行为倾向，因为如果你忽视这些安全措施，很可能导致非常严重的后果。

电器插座：婴儿对小孔非常感兴趣，因此家长一定要在插座上安装插座安全盖或插座保护套，这样可以避免宝宝因触摸插座出现意外。

橱柜：任何装有锋利、有毒或易碎物体的橱柜上或抽屉上都必须加装宝宝安全锁。当然，最好的办法是将一切危险物体都置于宝宝接触不到的地方。

不稳固的家具：如果宝宝爬上或用力拉某件不稳固的家具，她很可能将家具拉倒并因此受伤。必须将不太稳固的家具（比如书架）钉在墙上并将重物从这样的家具上拿走。

窒息风险：时刻留意不小心掉落在地板上的小东西，比如针、硬币、药片或耳环，以免宝宝误食从而发生窒息危险。经常扫地或用吸尘器清洁地板可以降低这类危险。

楼梯：如果有室内楼梯，在楼梯最上端和最下端都要加装婴儿围栏。

危险物品：要经常检查并确保刀子、剪刀、拆信刀、剃刀、笔和玻璃杯等物品都放在宝宝接触不到的地方。

针对宝宝采取安全措施并不是一次就能完成的工作。随着宝宝不断长大、长高，她会变得更好动、更大胆，所以你需要不断留意那些她可能撞到的东西、她能拿到的东西，还有那些她能把自己的小手指塞进去的物体。

换只手

双手交换游戏

现在，宝宝已经可以很好地抓住物品了——比如她最心爱的毛绒玩具或你的一缕头发，但她可能还不会将物体从一只手转移到另一只手，因为这个动作需要两只手同时运动（宝宝可能在你递来一样东西的时候将手里原来的东西丢掉）。帮助宝宝练习同时使用两只手的时候，你可以在她的一只手里放个小玩具，让她玩儿一会儿，然后将另一个玩具递到她的这只手边，同时鼓励她将这只手里的玩具交到另一只手里，而不是丢掉。这个任务有点儿难度，如果宝宝成功了，奖品是什么？是双手握着两个玩具！

技能点睛

将玩具从一只手转移到另一只手的游戏有助于宝宝掌握抓放能力——这对婴儿来说并不容易。这个游戏还可以让她的手越过身体的中线，这是宝宝爬行和走路的前提。

✓	双侧协调能力
✓	手眼协调能力
✓	大运动能力
✓	抓放能力

如果宝宝喜欢这个游戏，家长可以让她再试试第 109 页的游戏"倒来倒去真开心"。

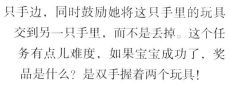

宝宝要经过练习才能学会同时将两个玩具抓在手里，这样做会带给她双倍的乐趣。

111

6个月及以上

追球

爬行和追逐游戏

技能点睛

如果有一个极具吸引力的物体刚好超出宝宝的触碰范围，这或许可以促使他掌握一项新的运动技能，比如翻身、匍匐前进或爬行。学会如何让一个移动的物体停下来可以增强他正在发育的个人掌控力，因为通过这样的练习他可以逐步控制周围的环境。但目前还不要期望他能将球滚回来或丢给你，这些能力要等到他1岁后才能掌握。

平衡能力	✓
手眼协调能力	✓
大运动能力	✓
空间意识	✓

他现在还不会玩接球游戏，但追球游戏会带给他无穷的乐趣。

找一个中等大小的空心球、大的塑料球或布球，将它放在宝宝差一点儿就可以拿到的地方，这样他就不得不向前移动。你也可以将球滚向宝宝，这样他就可以尝试用自己的手让球停下来。提示：使用稍微有些亏气的球可以让宝宝更容易控制。

他会很高兴能让一个滚动的球停下来——学会控制运动中的物体。

"把球扔到这里！"

研究报告

当你感到非常疲倦或是心情很糟的时候，你不可能像平时一样笑着拍手逗宝宝玩，这时宝宝能感觉到你的变化吗？研究显示，当家长以一种很消极的情绪来跟孩子互动的时候，宝宝会通过自己的面部表情和声音来试着让父母恢复"正常"。有证据表明，宝宝会想办法"修复"亲子之间的互动关系。当然，家长偶尔有一天情绪不高是可以理解的，而且也是非常正常的。但是，如果此时你能用积极的方式给宝宝一些回应（比如一个笑脸或一个拥抱），就能够增加宝宝在与你进行互动活动时的信心，同时宝宝付出的努力也许会让你感觉心情变愉快了。

"啪！泡泡破了！"宝宝的小手摸到肥皂泡的瞬间，她会从游戏中学到什么是因果关系。

抓泡泡

快乐的"啪"的一声

如果你曾经为宝宝吹过泡泡，你就会知道小宝宝是多么喜欢这个古老的游戏。你或许还会发现，虽然宝宝很努力地想要抓住泡泡，但她往往很难靠近泡泡，这可能让宝宝觉得很泄气。你可以帮她实现愿望——抓住泡泡，比如吹一个能够停留在吸管上的泡泡，然后递给她。她首先会看到泡泡停留在吸管上，然后可以近距离地观察这个透明的球体，最后她还能真实地体会到触摸泡泡的乐趣——虽然只有一刹那的时间。注意，不要让她用沾着皂液的手揉眼睛。游戏结束时，记得用干净的湿毛巾将她的手擦干净。

技能点睛

这个游戏除了可以满足宝宝用手抓住这些神奇的泡泡的愿望外，还可以锻炼她的手眼协调能力，促进她对因果关系的理解，让她知道自己也可以控制周围的世界。

✓ **理解因果关系**

✓ **手眼协调能力**

如果宝宝喜欢这个游戏，家长可以让她再试试第94页的游戏"宝宝爱泡泡"。

6个月及以上

小小作曲家

背景音乐

技能点睛

宝宝现在对音乐的感知力还无法让他准确跟上乐曲的节奏，但这个游戏可以让他参与到音乐中，还可以让他感受到音乐带给人的乐趣，这有助于培养宝宝的音乐能力和社交能力。此外，这个游戏还能够锻炼宝宝的大运动能力和精细动作能力，并能让他有机会与音乐进行自由的接触。

精细动作能力	✓
大运动能力	✓
听觉能力	✓
节奏感	✓

如果宝宝喜欢这个游戏，家长可以让他再试试第159页的游戏"有趣的小木琴"。

任何时候让宝宝接触音乐都不算早，但直到他能够控制（某些）物体的时候，他才能进行演奏。你可以在宝宝听音乐或听你演唱儿歌时给他一些通过摇晃就可以发声的物体，以增加他对音乐的兴趣、提高他的音乐鉴赏力。你只需要找几个摇铃、挤压发声的玩具和可以摇响的玩具。先给宝宝示范如何使用这些"乐器"，然后让他尽情发挥。

只要拿到一件简单的乐器玩具，小宝宝就可以演奏属于自己的音乐了。

116

泳圈叠叠乐

堆叠游戏

虽然你的宝宝现在还没有在海里、湖里或是儿童泳池里游过泳，但圆圆的游泳圈即使在陆地上也可以给她带来很多乐趣。刚学会坐和爬的小宝宝们都喜欢靠着游泳圈坐立，或是在游泳圈里玩藏猫猫的游戏。找一个柔软的表面，让宝宝坐在上面，然后将游泳圈套在宝宝身上——一直套到宝宝的胸部，然后将游泳圈从宝宝身上取下来，同时大叫"藏猫猫"。那些活动能力比较强的宝宝还喜欢从放在地板上的几个游泳圈里爬进爬出。

将游泳圈摞起来做游戏。只要有几个游泳圈，你就可以和小宝宝做很多游戏。

技能点睛

用游泳圈跟宝宝玩捉迷藏，会让宝宝与你暂时分离（看不到你），这会让她逐渐明白，即使你离开她也并不代表你消失了。从游泳圈里爬进爬出、从游泳圈上面爬过去，可以让宝宝练习在凹凸不平的表面行进，这有助于宝宝的平衡能力和协调能力的发展。

✓	平衡能力
✓	大运动能力
✓	物体恒存性

如果宝宝喜欢这个游戏，家长可以让她再试试第130页的游戏"靠垫山"。▶

117

拍手歌

随着宝宝双手灵活性的增强，她会很喜欢拍手、打响指、招手等手部动作。伴随着简单的动作唱起儿歌，可以为宝宝带来更多乐趣。虽然她未必能做出所有的动作，但最后她至少能够学会拍手或招手。边唱歌边带她拍手或招手，或者让她模仿你拍手或招手的动作。

Bingo（有条小狗叫宾狗）

There was a farmer had a dog
and Bingo was his name-o
B-I-N-G-O
B-I-N-G-O
B-I-N-G-O
and Bingo was his name-o.

农夫养了一条狗，
狗的名字叫宾狗，
B-I-N-G-O！
B-I-N-G-O！
B-I-N-G-O！
宾狗是它的名字。

There was a farmer had a dog
and Bingo was his name-o
clap-I-N-G-O
clap-I-N-G-O
clap-I-N-G-O
and Bingo was his name-o.

农夫养了一条狗，
狗的名字叫宾狗，
（拍手）-I-N-G-O！
（拍手）-I-N-G-O！
（拍手）-I-N-G-O！
宾狗是它的名字。

重复歌谣，每重复一次就用拍手多替换一个字母，比如第二遍是（拍手）-I-N-G-O，第三遍是（拍手）-（拍手）-N-G-O……直到拍手 5 次。

This Old Man（有位老爷爷）

一直有节奏地拍手。

This old man, he played one,　　老爷爷，他拍一，
he played knick knack on my thumb,　在我的拇指上敲一敲，
with a knick, knack, paddy whack,　砰砰敲，
give a dog a bone;　　给狗儿一根骨头，
this old man went rolling home.　老爷爷蹒跚回家去。

This old man, he played two,　　老爷爷，他拍二，
he played knick knack on my shoe,　在我的鞋上敲两下，
with a knick, knack, paddy whack,　砰砰敲，
give a dog a bone;　　给狗儿一根骨头，
this old man went rolling home.　老爷爷蹒跚回家去。

宝宝大一点儿后，你在演唱时还可以加入其他歌词，比如：three/knee（三/膝盖），four/door（四/门上），five/hive（五/蜂窝），six/sticks（六/小棍），seven/up in heaven（七/天空），eight/gate（八/大门），nine/spine（九/背上），ten/once again（十/再来一次）。

不管是由你来帮宝宝完成动作，还是让她自己听着儿歌做些简单的动作，将文字、音乐和动作结合在一起的游戏都有助于扩大宝宝的词汇量。

Working on the Railroad（我是一个铁道工）

I've been working on the railroad　我是一个铁道工，
all the live-long day.　　每天忙不停。
I've been working on the railroad　我是一个铁道工，
　　（用手做挖掘动作。）
just to pass the time away.　跟着时间跑。

Can't you hear the whistle blowin'?　你有没有听到低沉汽笛声，
　　（用手做拉"汽笛"的动作。）
Rise up so early in the morn.　总在清晨响起。
　　（将手高举。）

Can't you hear the captain shouting,　你有没有听到列车长在喊：
　　（拍手。）
"Dinah, blow your horn."　"快快鸣笛呀！"

聚光灯

注视着光线

技能点睛

看着光线在屋顶、墙壁和玩具上"跳舞",可以增强宝宝的视觉追踪能力。看着光线一次次消失,又一次次重新出现会让宝宝很开心。

给宝宝上演一场光影秀可以让她看到从未见过的神奇景象,令她大开眼界。将一张鲜艳的彩色薄纸或一条围巾蒙在手电筒上,用胶带或皮筋(绝不能让宝宝拿到皮筋)将其固定好,然后将彩色的光线投在屋顶、宝宝的玩具和墙壁上。你可以迅速开关手电筒,用光线绘制各种形状或是让光线在两个物体间慢慢扫射。一边玩一边跟宝宝聊天,比如"光到哪儿去了?哦,在那儿,在墙壁上!"

精细动作能力	✓
感官发育	✓
视觉发育	✓

看着光线照亮某个区域会让宝宝非常兴奋,尤其是当光在宝宝的小脚和玩具上闪动时。

如果宝宝喜欢这个游戏,家长可以让她再试试第156页的游戏"探照灯"。 ▶

"看，光线在移动！"

·洗澡游戏·换尿布游戏·音乐和动作游戏·肢体游戏·触觉游戏·

小鼓手

敲敲打打

技能点睛

这个年龄段的宝宝刚开始知道什么是因果关系，通过敲打物体让物体发出声音能够增强宝宝对因果关系的理解，同时还能锻炼他的手眼协调能力。听着物体发出的不同声音，可以帮助他了解不同物体的特点，让他以后可以将这种认识运用到合适的情境中。

理解因果关系	✓
手眼协调能力	✓
听觉能力	✓

如果宝宝喜欢这个游戏，家长可以让他再试试第116页的游戏"小小作曲家"。

摆弄物体对正在发展精细动作能力的小宝宝来说是件非常快乐的事情，而让这些物体发出声音会让他们更开心。你只需将不同材质、不同大小的锅和碗放在宝宝周围，再给他一个木头勺子，就可以让宝宝玩得很开心。先给宝宝示范如何敲"鼓"才能使其发出声音，然后鼓励他自己尝试。宝宝一开始可能只是在不经意间敲到了锅，但很快他就会尝到甜头，开始有意识地敲打起来。

"当当当、乒乒乒……"，宝宝在敲打"小鼓"时可以发出声音，这能让他意识到自己的行为会对周围的环境产生影响。

小老鼠手偶

指尖魔法

宝宝对会动的东西很着迷，对动物玩偶更是喜欢，要知道他可是手偶游戏最忠实的观众。你可以在手上戴几个手偶，让它们在宝宝面前上下跃动、跳舞、亲吻宝宝，或是跟他聊天。这个年龄段的宝宝很可能伸出手抓住手偶并将它塞进自己嘴里——这时你不必担心（但要确定玩偶很干净，而且上面没有能被宝宝咬下并吞进肚子的小配件）——还可能唧唧咕咕地对动物演员"讲话"或吐口水。你还可以找一首儿歌让动物手偶来"演唱"，将游戏变成一场演唱会！

技能点睛

与小老鼠手偶聊天、听小老鼠手偶唱歌可以帮助宝宝学习对话的艺术——一个人（或者是游戏里的小老鼠手偶）问，另一个人答。对宝宝来说，被小老鼠手偶触碰鼻子不仅是有趣的触觉刺激，还是亲子间的有趣互动。

✓ **社交发育**

✓ **触觉刺激**

如果宝宝喜欢这个游戏，家长可以让他再试试第140页的游戏"我抓住你了！"。

一只可爱的紫色小老鼠让他有了一个可以咿咿呀呀对话的小伙伴。

123

"丝巾在哪里?"

有时只需一个纸筒、一条鲜艳的围巾,
还有妈妈的参与,就可以让宝宝乐翻天。

神奇的丝巾

再现游戏

想寻找一种万能玩具吗？这种玩具其实就在你身边，它可以伴随宝宝发展的不同阶段，而你在衣橱里就能找到它——一条旧围巾（最好是丝巾），它可以让孩子一直快乐地玩到学龄前。宝宝小的时候，你们可以用丝巾玩的一个最简单的游戏，就是将丝巾从纸筒的一端塞进去，然后让宝宝从另一端拉出来。你也可以不用纸筒，而是将大部分丝巾都塞进你的拳头里，让宝宝找到露在外面的一端并将其拉出来。你还可以在游戏中临场发挥，通过讲话来吸引宝宝的注意力——"丝巾在哪里？它去哪儿了？噢，在这儿呢！"——这样可以调动宝宝的积极性。

巧手课堂

如果你手头没有合适的丝巾，可以到布店或小商品市场买几块彩色的布。空的化妆棉盒子可以代替纸筒——给宝宝示范如何将丝巾塞进去，再拉出来！

技能点睛

找一条丝巾，然后将丝巾穿过一个纸筒，这样能够锻炼宝宝的手眼协调能力和精细动作能力。看着丝巾先消失，然后从另一端出现，可以增进宝宝对物体恒存性的理解。

✓	**手眼协调能力**
✓	**物体恒存性**
✓	**触觉刺激**

如果宝宝喜欢这个游戏，家长可以让他再试试第127页的游戏"忙碌的多功能玩具"。 ▶

陀螺快停下

旋转的乐趣

技能点睛

触摸一个静止的物体，比如积木，对小宝宝来说是一种挑战。跟踪并触摸一个不停移动的物体则是一种更高级别的挑战——这个游戏可以让你的宝宝一遍遍地强化这种能力。此外，用手指轻轻触碰旋转的陀螺并使其停下来、倒在地上，可以让宝宝理解因果关系。

理解因果关系	✓
手眼协调能力	✓
空间意识	✓

如果宝宝喜欢这个游戏，家长可以让他再试试第115页的游戏"抓泡泡"。

陀螺是每个宝宝都很喜欢的一种传统玩具。现在，小宝宝肯定还不会用鞭子抽打陀螺使其旋转，但这并不意味着他们只能老老实实地在旁边看着陀螺不停转动。你可以在宝宝面前将陀螺旋转起来，然后给他示范如何用手轻轻触碰陀螺才能使它停下来。很快，宝宝就会自己伸出手去控制旋转的陀螺。

色彩鲜艳夺目的陀螺可以带给宝宝更为丰富的游戏体验。

忙碌的多功能玩具

适合小手指的小任务

有可以旋转的圆筒、可以拨动的表盘，还有会发出响声的按钮的多功能活动板可以让好奇的宝宝在不知不觉间度过几小时的快乐时光。你需要将活动板放置好——让宝宝能够触碰到活动板的所有部分——并给她示范该怎么玩，然后让宝宝自己动手体验。一开始，宝宝可能只会玩几个最简单的游戏，比如将手指塞进表盘的小孔或拨动一个滚动的球。但在几个月内，她就能够拨动表盘、按响所有的按钮了。

这类经典的婴儿玩具可以激起宝宝的好奇心，让她的小手指忙个不停。

技能点睛

即使是最简单的游戏也有助于宝宝的手指灵活性和协调性的发展，从而为宝宝几个月后完成更为复杂的任务打下基础。按压不同的按钮会带来不同的结果，这可以帮助宝宝在头脑中为结果归类，同时还能提高她的控制感。

✓ **理解因果关系**

✓ **手眼协调能力**

✓ **精细动作能力**

如果宝宝喜欢这个游戏，家长可以让她再试试第139页的游戏"弹出玩具"。

分离焦虑

就在宝宝的活动能力变得越来越强，也有了一定的独立性之后，他似乎又想时刻黏着你了。宝宝刚开始出现的独立性和刚刚开始表现出的分离焦虑是紧密相关的——他现在不仅可以四处活动，而且也明白你们两个很容易就会分开。

看到你的存在对宝宝来说是那么重要，你可能感到很欣慰，但这也可能令你感到很无奈。以下这些建议可以帮你顺利度过这个极具挑战性的阶段。

尊重他：请记住，你的陪伴对宝宝来说仍然很重要，当他想到你会暂时离开他的时候，他不可能不感到痛苦。

安慰他：抱住他、跟他讲话、给他唱歌，等他安静下来后，给他一本书或一个玩具，以此来分散他的注意力。要知道，你现在的安慰会让他今后更有安全感。

保护他：分离焦虑和陌生人焦虑（俗称怕生）通常是同时出现的。如果有陌生人想要近距离地接触你的宝宝，你就要跟对方解释清楚，告诉他你的宝宝不是很习惯跟陌生人接触，同时将宝宝抱在怀里。不要因为他害羞而斥责他，这是他无法控制的事。给宝宝一些时间，只要这些陌生人表现得很友好、很温和，宝宝会逐渐接受对方并变得热情起来。

告诉他实话：当你不得不将宝宝留给保姆照顾的时候，你可能觉得悄悄溜走会让自己少些麻烦，但这对宝宝并没有好处。如果宝宝觉得你时不时就会突然消失一段时间，那么每当你离开房间的时候，他就会感到恐惧。准备外出之前，要告诉宝宝你需要离开一段时间。讲述的时候要显得很快乐，而且要明确地告诉他你很爱他，然后大大方方地从门口走出去。一旦他意识到你的话可以相信、你的承诺一定会实现、你真的会回来，他就不会在你走后因恐惧而哭闹。

记住，这只是暂时的。婴幼儿会经历分离焦虑的不同阶段，如果家长能给予他们充分的安慰、爱和鼓励，大部分孩子最后都会变得很独立。

站起来

地毯上面练平衡

你 的宝宝大概从几个月大的时候就喜欢在你的腿上晃来晃去，甚至能扶着你的腿站起来。现在她的腿部肌肉变得更加发达了，所以她也就更想在你的扶持下用自己的两只脚站立。配合一些欢快的儿歌可以让这个练习过程变得更加有趣。先让宝宝仰卧在地毯上，两腿伸直，通过这个游戏轻轻地帮她坐起，然后再拉她站起来。

通过这个游戏她能学习站立、理解一些简单的词汇，更关键的是你和宝宝能够面对面地注视着对方。

家长可以让她再试试第132页的游戏"传统歌谣"。

"Hokey Pokey"（身体儿歌）

You put your right hand in. 伸出你的右手，
（向前轻拉宝宝的右手。）
You take your right hand out. 收回你的右手，
（向后轻推宝宝的右手。）
You put your right hand in. 伸出你的右手，
And you shake it all about. 然后摇一摇，
You do the hokey pokey. 你跳起身体儿歌，
And you turn yourself around. 然后转一圈，
That's what it's all about. 就是这么简单。

You put your left hand in. 伸出你的左手，
（向前轻拉宝宝的左手。）
You take your left hand out. 收回你的左手，
（向后轻推宝宝的左手。）
You put your left hand in. 伸出你的左手，
And you shake it all about. 然后摇一摇，
You do the hokey pokey. 你跳起身体儿歌，
And you turn yourself around. 然后转一圈，
That's what it's all about. 就是这么简单。

 随着宝宝长大，可以在歌曲中加入新的词汇 right foot（右脚），left foot（左脚），finger（手指），whole-self（自己的全部）。

✓	大运动能力
✓	语言发展
✓	下肢力量

129

靠垫山

攀爬练习

技能点睛

宝宝需要掌握一定的爬行技术——能够交错使用双手和双腿——才能爬上高处，这需要有很好的协调性、上肢力量和平衡能力。当他掌握这些能力后，他就可以向攀登架、陡峭的小土丘，还有游戏场的梯子发起挑战了。

平衡能力	✓
双侧协调能力	✓
大运动能力	✓
上肢力量	✓

爬行可以带给小宝宝极大的快乐。当宝宝能够用四肢在平地上移动后，下一步他就能够借助双手和双腿去攀爬了。在地板上堆放几个靠垫，然后向他示范如何从靠垫上面爬过去。很快，靠垫山的高度和柔软的质感带给宝宝的全新挑战就会让他乐不可支。

● 不是所有的宝宝都对爬靠垫山很感兴趣，你可以在"山顶"摆一个新玩具或宝宝最喜欢的玩具，吸引他爬上去。

● 将极富吸引力的藏猫猫游戏加入其中或许也能打动一些犹豫不决的宝宝。你可以躲在一个靠垫后面，鼓励宝宝爬过其他靠垫来抓住你。你家的"小爬虫"或许也会喜欢"我抓住你了！"这个游戏（详见第144页），这样你就可以追着他爬过靠垫山了。

在你的陪伴下，他会爬过"高山"看到对面有什么——这座山是用靠垫堆出来的，而不是一座真正的大山。

如果宝宝喜欢这个游戏，家长可以让他再试试第159页的游戏"有趣的小木琴"。▶

研究报告

　　你对这个刚刚学会爬来爬去的小家伙的判断能力感到好奇吗？一项专门针对爬行阶段的宝宝进行的研究发现，大部分宝宝都不会从深坑上放置的透明厚玻璃板上爬过去，即使有妈妈在旁边极力引导也不行。但是当宝宝转身时，他们的身体会不由自主地倒向深坑。也就是说，假如没有玻璃板的话，宝宝会跌得很惨。这说明，虽然小婴儿有了一定的判断力（他们对危险很警惕），但他们的认知意识和身体感知能力之间仍然有一定的差距。

传统歌谣

错，儿童电视节目和各种视频为小宝宝提供了很多新的儿歌，但那些经久不衰的儿歌更令人难以忘怀，因为代代传承的儿歌可以将几代人紧紧联系在一起。你可以演唱这些儿歌给宝宝听，同时配合相应的手势，还可以邀请家人和朋友一起加入！

Daisy, Daisy（黛西，黛西）

Daisy, Daisy,
give me your answer, do.

黛西，黛西，
快答应嫁给我吧。
（拍手。）

I'm half-crazy all for the love of you.

我会始终如一地爱着你。
（将手放在宝宝的两颊上。）

It won't be a stylish marriage—
I can't afford a carriage.

没有虚伪而浮夸的誓言，
没有华丽而隆重的婚礼。
（摊开双手，耸耸肩。）

But you'll look sweet upon the seat

就算在破旧的自行车上，
（指着宝宝。）

of a bicycle built for two.

你也会笑得灿烂而甜蜜。
（拥抱宝宝。）

It's Raining, It's Pouring（下雨啦）

It's raining, it's pouring,
the old man is snoring.
He went to bed,
and bumped his head,
and couldn't get up
in the morning.

下雨啦，下雨啦，
老头在打呼噜。
他睡觉时，
撞到头，
第二天早晨
起不来。

Rain, Rain, Go Away（雨点雨点快走开）

Rain, rain, go away,
come again another day.
We want to go out and play,
Rain, rain, go away.

雨点雨点快走开，
请你改天再过来。
我们想出去玩。
雨点雨点快走开，

随着宝宝长大，可以加入新的词汇clouds（云），thunder（雷）。

Polly Wolly Doodle（波利伍利歌）

Oh I went down South for	我要去南方，
to see my Sal,	去看我的赛儿，
sing Polly Wolly Doodle all the day.	一路唱着波利伍利歌。
	（轻点宝宝的下巴或胸膛。）
My Sal she is a spunky gal,	赛儿她是个活泼的姑娘，
sing Polly Wolly Doodle all the day.	整天唱着波利伍利歌。
	（轻点宝宝的下巴或胸膛。）
Fare thee well,	多多保重，
	（挥手道别。）
fare thee well,	多多保重，
	（挥手道别。）
fare thee well my fairy Faye.	多保重可爱的姑娘。
	（挥手道别。）
For I'm going to Louisiana	我要去路易斯安那，
	（手指在宝宝身上来回移动。）
for to see my Susyanna,	去看我的苏珊娜，
sing Polly Wolly Doodle all the day.	一路唱着波利伍利歌。
	（轻点宝宝的下巴或胸膛。）
Oh, my Sal she is	哦，我的赛儿她是
a maiden fair,	一个漂亮的姑娘，
sing Polly Wolly Doodle all the day,	整天唱着波利伍利歌。
with curly eyes and laughing hair,	弯弯的眼睛和会笑的头发，
sing Polly Wolly Doodle all the day.	整天唱着波利伍利歌。
（重复上面的歌词）	

Hey Diddle Diddle（稀奇真稀奇）

Hey diddle diddle, the cat and the fiddle,	稀奇真稀奇，猫咪在拉琴，（模仿拉琴的动作。）
the cow jumped over the moon.	母牛跳过月亮，（用手在空中做跳跃动作。）
The little dog laughed to see such a sight	小狗看得哈哈笑，（用手遮住眼睛。）
and the dish ran away with the spoon.	盘子勺子逃跑了。（两根手指在宝宝身上快速交替，作逃跑状。）

妈妈的大腿是宝宝听儿歌时的最佳座椅。

就在短短的几个月前，你的宝宝还只会在新生儿生理反射的影响下扭动身体、用嘴巴做一些可笑的动作。可是现在，她已经可以坐、可以踢腿、可以将毯子从她心爱的玩具上掀开了。这是怎么回事呢？其实宝宝最初的那些举动就像呼吸和心跳一样，都是来自她出生时就已经发育成熟的脑干。但在第4～7个月的时候，负责控制宝宝动作的大脑皮层开始发育了，所以她的运动能力才会变得越来越强。

刚才还在这里，可现在不见了……只要一条毯子和一个玩具就可以让小家伙学到重要的一课——物体恒存性，而且她还会很快乐。

玩具在哪里？

更多藏猫猫游戏

当宝宝还是个小婴儿的时候，她还是一个"看不到就不想"的人。也就是说，如果你把她的玩具藏起来了，她就会认为玩具真的不存在了。但现在她已经 6 个月大了，开始有了更多的想法。尽管她可能并不知道玩具到底去哪儿了，也不知道玩具为什么会消失，但她知道玩具仍然存在，只是在某个她看不到的地方，而且还会在那里一段时间。想要帮助宝宝进一步理解物体的恒存性，你不妨借助玩具和宝宝玩藏猫猫的游戏。

● 将宝宝最喜欢的毛绒玩具或书藏在毯子下面，但不要将其完全藏起来，然后不断问她："玩具去哪儿了？"一开始她可能需要你来帮她找到玩具，可一旦宝宝意识到玩具露在外面的部分和其余部分是连在一起的，她就会将玩具从毯子下面拿出来。

● 很快你就可以将玩具完全藏起来了。只要宝宝看到你藏起玩具或是注意到毯子下面玩具的轮廓，她就可以找到心爱的玩具了。

技能点睛

让宝宝明白即使她看不到的物体也仍然存在，可以帮助她理解什么是物体的恒存性，这正是她能够接受跟你暂时分开的关键所在。此外，理解物体恒存性也能帮她记住曾经见到过的，但现在不在她视线范围内的人、物或某个地方，这种能力被称为"表征记忆"。

✓	**精细动作能力**
✓	**物体恒存性**

如果宝宝喜欢这个游戏，家长可以让她再试试第65页的游戏"藏猫猫"。

宝宝的柜子

早期探索

技能点睛

一个摆满诱人"玩具"的柜子可以锻炼宝宝"瞄准发射"的能力——即宝宝看到某个物体后伸手去拿并将其抓住的能力。通过接触不同种类的物体，能够让宝宝了解物体的物理特点，比如大小、形状和重量。同时，这个游戏还能给他提供一个自己去探索和发现的机会。

现在宝宝的活动能力增强了，你必须在家里做好安全防护措施，比如将家中所有的柜子——里面放有易碎物品、清洁用品、锅和其他可能伤到宝宝的东西——都封好。但只要宝宝看到你从柜子里拿东西出来，他就一定也想做同样的事——翻找东西或是将架子上或柜子里的东西拿出来，这是这个年龄段的宝宝打发时间时最喜欢的游戏。你可以专门留一个柜子给宝宝，这样既可以满足小家伙的探索欲望和模仿兴趣，又能保证他的安全。在一个不上锁的柜子里装满安全而有趣的东西，比如毛巾、塑料碗、量杯、蛋糕模具，还有宝宝最喜欢的玩具，这可以让他快乐地忙个不停，也能够让你专心做饭、洗碗或者安静地读读报纸杂志。

精细动作能力	✓
大运动能力	✓
感官发育	✓
视觉分辨能力	✓

如果宝宝喜欢这个游戏，家长可以让他再试试第109页的游戏"倒来倒去真开心"。

宝宝和你一样在厨房里"工作"，但他不会遇到什么危险，更不会把厨房弄得一团糟。

堆沙子

小小建筑师

技能点睛

玩沙子不但可以锻炼宝宝的精细动作能力（用铲子、勺子或手指挖沙子、倒沙子），还能够让他了解沙子、玉米面等物体的特点。此外，还可以帮助他理解"满"和"空"、"重"和"轻"等概念，以及"哎呀"（当宝宝不小心将沙子倒在盒子外面时）等感叹词。

精细动作能力	✓
大运动能力	✓
触觉刺激	✓

如果宝宝喜欢这个游戏，家长可以让他再试试第109页的游戏"倒来倒去真开心"。

宝宝在半岁左右就知道玩沙子的乐趣了。即使天气不好，即使你家附近并没有大沙池，他也可以享受这种快乐，因为他需要的只是一个迷你沙池。在室外或室内的地板上铺几张报纸，然后在上面放一个大盒子，将盒内装满干净的沙子（玩具店有售）或粗玉米面。然后给宝宝一些铲子、塑料杯、木勺或者其他你能想到的工具，让宝宝开始探索。出于好奇，宝宝在游戏中可能想去吃沙子（这时你要及时制止），但他更喜欢的还是沙子在指缝间流动的感觉。

玩沙子可以给宝宝带来很多乐趣——特别是和父母或其他孩子一起玩的时候。

弹出玩具

看到了，又不见了

下一个按钮就会弹出卡通玩偶的玩具能够为正在发展精细动作能力的宝宝带来无穷的欢乐。起初，你的宝宝可能只会将玩偶按压回去，然后由你来按键让玩偶重新弹出。不过，即使是这样简单的动作也会带给小家伙足够的刺激，很快他就可以学会自己扳动控制杆、转动机关或按下更加复杂的按键，让动物玩偶重新弹出了。

技能点睛

让玩偶出现、消失的游戏，能够让正在理解物体恒存性，而且正经受着分离焦虑困扰的宝宝获得极大的满足感。学会如何让动物玩偶消失，然后重新将其弹出，还可以锻炼宝宝的精细动作能力，帮助他更好地理解因果关系。

"熊猫在哪里呀？哦，在这里。我能让熊猫跳起来！"弹出玩具可以让孩子在没有大人陪的时候也能玩捉迷藏游戏。

✓	理解因果关系
✓	手眼协调能力
✓	精细动作能力

如果宝宝喜欢这个游戏，家长可以让他再试试第127页的游戏"忙碌的多功能玩具"。

139

我抓住你了！

传统的追逐游戏

技能点睛

这个游戏需要家长的参与，通过游戏可以增强宝宝的社交能力和信任感。在家长的鼓励下努力爬行还可以锻炼他的平衡能力和大运动能力。

平衡能力	✓
大运动能力	✓
社交发育	✓

没人知道为什么小宝宝们喜欢被追逐，即使是刚学会爬的小宝宝似乎也觉得，有爸爸妈妈或其他亲近的人在后面追逐自己是一件非常有趣的事。

● 先是在宝宝身后慢慢地跟着他爬，并压低嗓音说："我要抓住你了……我要抓住你了……我要抓住你了！"然后温柔地抓住宝宝说："我抓住你了！"这时，你可以将宝宝举起，也可以在他颈后亲吻一下，最后再挠挠他的腋下，但动作不能太剧烈，以免吓到宝宝——毕竟他还是个小婴儿。

● 追逐游戏不仅适合爬行阶段的宝宝，也会让学步期的宝宝乐此不疲，最后演变成大孩子们玩的经典追逐游戏。

一个温柔的追逐游戏能够让宝宝明白，原来妈妈不仅会温柔地抱着他，也会活泼地和他玩游戏。这可以帮他认识到人类能够表现出不同的社交行为。

如果宝宝喜欢这个游戏，家长可以让他再试试第130页的游戏"靠垫山"。

"我抓住你了！"

研究报告

你或许已经注意到了，其实根本不需要全力追逐也能让宝宝开心地笑个不停。只要你压低嗓音在宝宝身后说："我要抓住你了！"宝宝就会咯咯地笑出声来。这是因为宝宝的年龄虽然还很小，但他的记忆力已经有了长足的发展，足以预知接下来将发生的事情。

这是不是说宝宝到十几岁后，还能记得他在婴幼儿时期你在他身后追逐他的样子呢？这个问题的答案仍有争议。多年来研究人员一直认为，我们无法回忆起在我们的语言能力发展成熟之前所经历的事情。但近些年有研究显示，只要给予正确的引导，一两岁的宝宝仍可以回忆起 1 岁前发生的事。这意味着你的宝宝至少在学步期的时候，仍会记得你之前为他所做的努力，虽然他无法用语言来表达。

滚瓶子

追逐游戏

技能点睛

　　鼓励宝宝抓住一个滚动的瓶子，也许能够刺激他跟在瓶子后面爬行，这可以锻炼他的大运动能力。如果他更喜欢坐在那里来回滚动瓶子，则可以锻炼他的精细动作能力和手眼协调能力。

　　也许你的宝宝比邻居家的宝宝爬行晚，这没关系——他们都会在短短的几年内学会跑跳和攀爬。如果你想引导一个迟迟没有学会爬行或者不是很愿意爬行的宝宝多练习爬行，装满豆子或谷物的婴儿奶瓶可以成为很有诱惑力的诱饵。你只需将瓶子装得半满（这样里面的东西可以来回移动），然后将其放在宝宝面前的地板上来回滚动。记住，一定要将瓶盖拧紧。如果宝宝仍然无动于衷怎么办？那就让他先学会前后滚动瓶子，这样才能让他体会到玩这个游戏的乐趣。

手眼协调能力	✓
精细动作能力	✓
大运动能力	✓

◀ 如果宝宝喜欢这个游戏，家长可以让他再试试第112页的游戏"追球"。

快把它抓住！宝宝不但会喜欢
观察、追赶这些滚动的瓶子，
还喜欢聆听它们发出的声音。

143

9 个月及以上

拼图

找到正确的位置

宝宝现在还无法玩一些复杂的拼图游戏，但她可以很容易地抓住那些专为婴幼儿设计的简单的木质拼图。那些形状简单、上有把手、下有对应图片的大块拼图，对小宝宝来说特别容易控制。但想要将这些大块拼图放在正确位置也需要一定的技巧——宝宝可能需要你的协助，这样她才能感受到将拼图嵌入正确位置后所能获得的成就感。

宝宝很喜欢有彩色图片的大块木质拼图。这个游戏可以帮助宝宝了解物体的形状和大小。

技能点睛

玩拼图（即使只是将拼图一块块地拿出来）能够很好地锻炼宝宝的精细动作能力，培养她的空间意识。研究每一块拼图应该放到什么位置，需要宝宝有一定的视觉分辨能力，同时还需要她能够分辨物体的形状、大小和颜色。

✓	**精细动作能力**
✓	**解决问题的能力**
✓	**分辨大小和形状的能力**
✓	**视觉分辨能力**

如果宝宝喜欢这个游戏，家长可以让她再试试第 172 页的游戏"盒子和盖子"。

9个月及以上

小球员

团队练习

技能点睛

让宝宝的双腿摆动，可以增强她腹部和腿部的力量。让她用腿和脚感受如何踢球，可以提高她的身体感知能力。此外，她还需要在运动中追踪物体，这为她今后踢球打下了良好的基础。

宝宝要到 2 岁左右才能学会踢地上的球，但在你的帮助下，即使是 9 个月大的小宝宝也可以踢球。先托住宝宝的腋下，将她抱起，然后轻轻摆动宝宝的身体，让她的腿能够踢到一个较轻的、中等大小的球。她的身体和腿部的姿势以及你提供给她的动力，可以让球在地板上或院子里滚动起来。这个游戏不必只限于有你参与，也可以让家里的大孩子参与其中。当然，也可以跟其他由家长和孩子组成的"球队"一起玩，人越多越好玩！

脚眼协调能力	✓
大运动能力	✓
社交能力	✓

如果宝宝喜欢这个游戏，家长可以让她再试试第140页的游戏"我抓住你了！"。

"我射门得分了！"

让哥哥来做守门员，这样
你们都有球玩！

自然的乐曲

听力练习

技能点睛

专注的倾听能够为宝宝的语言发展打下基础。通过倾听、识别并定位声音，然后再结合其他体验和不断的重复，他会逐步建立一个接受性语言的记忆库。

语言发展	✓
听觉能力	✓
感官发育	✓
社交能力	✓

如果宝宝喜欢这个游戏，家长可以让他再试试第154页的游戏"亲子探险"。 ▶

和宝宝在一起的时候，不需要总是通过讲话、做游戏、读书等方法去刺激他的心智发育，静静地坐着观察或倾听也有助于宝宝的感官和认知能力的提高。比如，你可以和宝宝进行一个简单的听力练习，你只需要找一个能让宝宝听到不同声音的地方就行了。可以在家里找一个他能够听到狗在地板上走动发出的声音、电冰箱工作时发出的声音、电话铃声或屋外汽车由远及近发出的轰鸣声的地方，也可以在户外找个他能够听到鸟叫、树叶沙沙作响、清脆的风铃或飞机在头顶飞过的声音的地方。让他留心各种声音，给他指出声源的方向并告诉他那都是什么声音。你还可以让他亲手制造声音，比如敲击风铃或鼓励他模仿一些简单的声音——小鸟的叫声或是屋外经过的汽车发出的"呜呜"声。

即使是日常生活中最常见、
最简单的声音，对小家伙
来说都是美妙的乐曲。

带宝宝出游

宝宝9个月大的时候，家里的日常生活应该已经基本稳定了——你和宝宝很亲密，家里处处都做好了婴儿安全防护措施，你知道怎样逗他开心，怎样才能保证他的安全。

可是一旦你带着宝宝外出，离开自己温暖舒适的家，就可能面临很多意想不到的问题。那些年纪很小的宝宝可以在中途转机或家庭聚会上一直呼呼大睡，但稍大一些的宝宝就可能有很不同的需求，他们不太可能按照你的想法去做。

这是不是意味着你在孩子长大之前都不要出远门呢？当然不是。你需要通过度假放松疲惫的身心，而且大多数亲戚朋友也很欢迎你带着宝宝前去拜访他们。记住，进行一次完美旅行的秘诀就是期待最好的结果，但同时也要做好准备应对可能出现的麻烦。

记住宝宝的作息规律：尽量将旅途安排在宝宝的睡眠时间，这样你就可以避免很多麻烦，比如到达目的地后还要应对一个疲惫不堪的小婴儿。在旅途中也要时刻牢记，宝宝休息得越好，你和家人就会越轻松。

记住宝宝的重要物品：如果有一个宝宝很喜欢的毛绒玩具或一块能让他安然入眠的毯子，那你外出时一定要记得将其带上。熟悉的东西可以帮助宝宝适应环境的变化。

记住宝宝喜欢的食物：在旅店或朋友家里很难找到宝宝喜欢的零食，你应该随身带些宝宝喜欢吃的饼干、麦片和水果等食物。等到达目的地后，赶紧去超市采购，这样你就可以将宝宝需要的东西准备好。

确保宝宝的安全：如果你时刻都在担心宝宝的安全，那就很难放松下来。外出时，不妨随身带一些插座安全盖和宝宝安全锁。

记住你的需要：即使没有带着小宝宝，旅行也是一件很辛苦的事。尽量吃好睡好，有机会还要做些运动。请亲戚帮你暂时照看一下宝宝或在当地雇一个有经验的保姆，这样你和家人、朋友以及伴侣就能够有宝贵的独处时间。

嘀嘀嘀

探索运动

有时很难确定宝宝什么时候能玩哪些玩具，因为我们很难判断宝宝玩这些玩具需要掌握多少技巧。但即使是不会走路的宝宝也可以骑玩具车，只要她的腿可以触碰到地面。首先，你可能要推她一下，让她明白这个游戏该怎么玩。很快她就会让自己前进了（虽然像学习爬行一样，刚开始她可能只会后退），之后她会笑着将玩具车从一个房间"开到"另一个房间。

宝宝的第一辆骑行玩具车不仅能带给她独立移动的乐趣，同时骑车也是一种非常好的锻炼方式。

技能点睛

大部分宝宝要到 1 岁以后才能学会交替使用两条腿来骑玩具车。但当她能够将两脚向前或向后移动时，其实她的大运动能力和平衡能力就已经得到了充分锻炼。

✓	平衡能力
✓	大运动能力
✓	下肢力量

如果宝宝喜欢这个游戏，家长可以让她再试试第180页的游戏"我推，你拉"。▶

153

亲子探险

宝宝的第一次旅程

技能点睛

成人常常对日常环境熟视无睹，毕竟我们每天看着、听着同样的东西已经有好多年了。但宝宝对新景象和从未听过的声音非常感兴趣——这对她的大脑是很好的刺激——而且你周围的每样东西对她来说都是新鲜的。鼓励宝宝利用她的感官去探索世界，即使被你抱在怀里，她仍然可以去探索未知的世界，而你的解说也能够丰富宝宝的词汇量。

手眼协调能力	✓
听觉能力	✓
感官发育	✓
视觉发育	✓

这个年龄段的宝宝对周围世界的好奇心远超过她的探索能力——即使她现在已经能够走路了。带她四处走走，给她讲讲不同的风景，可以让她有机会完成人生的第一次伟大探险。

● 在家里，给她看装饰画、海报、书、门把手或电灯开关。让她打开灯、把毛巾架上的毛巾拉下来或者从牙刷架上抓起一支牙刷。跟她解释她看到和摸到的东西——比如剥下的橘子皮或她手里柔软的毛巾。

● 带她到室外，让她摸摸树皮、灌木的叶子或是阳光下暖呼呼的石头。将她抱起来闻一闻芬芳的丁香花，跟窗台上的小猫打个招呼……

● 如果有些奇怪的东西吸引了她的注意力，你不必太惊讶。孩子大多喜欢动物，但在这个阶段，她们对无生命的物体也很感兴趣——比如门锁、音箱旋钮、按键——而且还会对这些物体是如何工作的感到很好奇。

如果宝宝喜欢这个游戏，家长可以让她再试试第150页的游戏"自然的乐曲"。

向她展示并介绍我们周围不同的物体，可以让她逐步了解关于质地、颜色和气味等方面的知识。

探照灯

抓住光线

技能点睛

不管宝宝是在爬行还是已经会走路了,试着抓住彩色的光线都可以提高他的手眼协调能力和灵活性。刚学会走路的宝宝还可以通过追逐光线锻炼自己的平衡能力和视觉能力。

平衡能力	✓
手眼协调能力	✓
大运动能力	✓

如果宝宝喜欢这个游戏,家长可以让他再试试第120页的游戏"聚光灯"。

随着宝宝活动能力的提高,他可以玩的游戏也越来越多。这个年龄段的宝宝可以玩一些追逐游戏——大部分游戏需要你在后面追赶宝宝,但当你为他示范如何"抓住"手电筒射出的光线时,他也可以扮演追逐者的角色。将一层彩色薄纸牢牢地固定在手电筒头上,让彩色的光线在地板上、墙上或比较低矮的家具上移动,然后鼓励宝宝"抓住它"。

跟着彩色的光线移动,需要宝宝集中注意力并拥有一定的身体协调能力。

障碍赛

跨越障碍

平地上行进对小宝宝来说是一种挑战，而爬过或以直立姿势跨过障碍物又是另一种挑战——这种技能对正在学习越过沙坑、绕过家里的宠物或跨过游戏场地裸露在外的树根的宝宝来说非常重要。在地上放置一些小块的积木、盒子和毛绒玩具，帮宝宝学习如何跨越障碍物。如果宝宝已经能够走路了，你可以拉着她的手帮她跨过障碍物。如果她还在学习爬行，就鼓励她爬着绕过这些障碍物。

跨越障碍物可以让宝宝增加自信，同时也能够锻炼她的行走能力。

技能点睛

不管宝宝是在爬行，还是已经可以摇摇摆摆地走，跨越障碍物都可以帮助她们学习如何保持平衡。跨越障碍物时的抬脚动作，还可以提高她们的脚眼协调能力。

✓	平衡能力
✓	脚眼协调能力
✓	大运动能力
✓	下肢力量

如果宝宝喜欢这个游戏，家长可以让她再试试第183页的游戏"上下楼梯"。 ▶

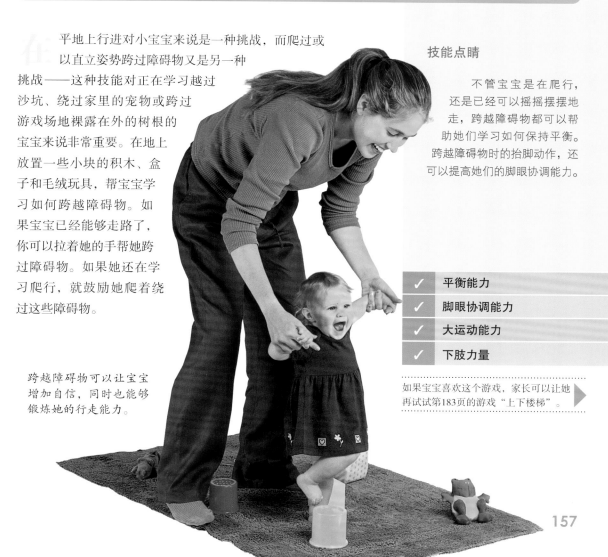

157

我也可以！

模仿之乐

技能点睛

学习如何将毛绒玩具放进玩具婴儿车里，如何使用扫帚，如何用塑料勺子搅动……可以培养宝宝的空间意识，也可以锻炼她的精细动作能力。有机会模仿周围的大孩子和成人做的事情对宝宝的发展很重要。

精细动作能力	✓
社交能力	✓
空间意识	✓

9 个月大的宝宝可能已经能模仿你的动作了，比如在你扫地的时候她也会跟着你在地上乱扫，在你做饭的时候她也会用木勺在碗里来回搅动。给她一些迷你版的工具，比如扫帚、拖布、工具箱、购物车和婴儿车等玩具，从而激发宝宝对成人世界的兴趣。如果宝宝已经学会走路，你可以教她用玩具婴儿车推着毛绒玩具散步。这个年龄段的宝宝的协调性可能还不是很发达，但这些活动将成为她们进行模仿游戏的最初尝试。宝宝在幼儿期和学龄前会对模仿游戏越来越感兴趣。

如果宝宝喜欢这个游戏，家长可以让她再试试第182页的游戏"跟我做"。▶

大哥哥做什么，小宝宝就想跟着做什么。

有趣的小木琴

音乐之声

无需将宝宝对音乐的追求限制在摇铃、铃铛和发条玩具等婴儿玩具中。有一种简单的木琴是专为3岁以下的儿童设计的(乐器店和玩具店有售)。不论小木槌落在木琴的什么位置都会发出声音。你为宝宝演示如何从高音弹奏到低音或从低音弹奏到高音的过程,可以让他了解什么是音阶。

宝宝非常喜欢聆听每个琴键发出的不同声音。

技能点睛

学习分辨不同的声音,最终将每种声音跟不同的琴键联系起来,有助于宝宝的听力发育。逐一敲击琴键可以发展他的手眼协调能力和精细动作能力。用木琴演奏乐曲可以增强宝宝的自信心。

✓	**手眼协调能力**
✓	**精细动作能力**
✓	**听觉能力**

如果宝宝喜欢这个游戏,家长可以让他再试试第116页的游戏"小小作曲家"。

159

倾倒游戏

填充的乐趣

技能点睛

早些时候宝宝的协调性还不成熟，无法控制好大部分物体，可是现在他不仅可以举起物体，还可以敲打、翻转物体。这个游戏不仅能够锻炼他的精细动作能力，还可以锻炼他的手眼协调能力。

手眼协调能力	✓
精细动作能力	✓

将一个容器倒空然后填满会令宝宝很快乐，而将一个容器里的东西倒进另一个容器里可以为宝宝带来双倍的乐趣。这个游戏的准备工作很简单，家长只需收集一些塑料杯、小碗、小桶、勺子或小铲子。在容器里倒入水（当宝宝坐在盆里或浴缸里）、沙子（当宝宝在沙池里）或玉米片（当宝宝在餐桌上或儿童餐椅上），给宝宝示范如何将上述物体装进杯子、勺子、铲子或碗里。鼓励宝宝用手体验沙子、玉米片或者水的触感——探索不同物体的质感。然后给宝宝示范如何将沙子、玉米片或水倒出去。很快宝宝就能学会先装满一个容器，然后将里面的东西倒进另一个容器里了。

如果宝宝喜欢这个游戏，家长可以让他再试试第138页的游戏"堆沙子"。

"沙子落下来了！"

倾泻而下的沙子看起来非常有趣，同时也可以帮助宝宝了解"满"和"空"、"快"和"慢"等概念。

动物歌

这个年龄段的宝宝大多会开始留意动物发出的各种叫声和它们移动的方式，这意味着现在是让宝宝接触带有动物叫声的儿歌的好机会。宝宝会对歌词和旋律非常感兴趣并会经常重复这些儿歌。

宝宝很喜欢一边听你唱着有趣的动物儿歌，一边跟你用动物手偶做游戏。

Where, Oh Where（哦哪里，哦哪里？）

Oh where, oh where	哦哪里，哦哪里，
has my little dog gone?	我的小狗在哪里？
Oh where, oh where can he be?	哦哪里，它在哪里？
With his ears cut short	他的耳朵那么短，
and his tail cut long,	他的尾巴那么长，
oh where, oh where can he be?	哦哪里，他在哪里？
I left him here half an hour ago,	我半小时前把他放在这儿，
just sitting under the tree.	就坐在大树下。
With his nose all wet,	他的鼻子都湿了，
and his hair all cold,	他的毛那么冷，
oh where, oh where can he be?	哦哪里，他在哪里？

Sing a Song of Sixpence（六便士之歌）

Sing a song of sixpence,	唱首六便士之歌，
a pocket full of rye,	黑麦子一口袋，
four and twenty blackbirds	二十四只小黑鸟，
baked in a pie.	被烤进了派。
When the pie was opened,	当派被打开，
the birds began to sing.	小鸟齐声唱，
Wastn's that a dainty dish	开胃菜这么诱人，
to set before a king?	国王好喜欢。
The maid was in the garden	女仆在花园里
hanging out the clothes.	晾衣服，
Along came a blackbird	飞来一只小黑鸟
and sat on her nose.	落在她的鼻子上。
（重复上面的歌词）	

Old MacDonald（老麦克唐纳）

Old MacDonald had a farm,	老麦克唐纳有块地，
eee-i-eee-i-o.	咿呀咿呀哟。
And on that farm he had some cows,	他在那里养着牛，
eee-i-eee-i-o.	咿呀咿呀哟。
With a moo-moo here	小狗这里汪汪汪，
and a moo-moo there,	那里汪汪汪，
here a moo, there a moo,	这里汪汪，那里汪汪，
everywhere a moo-moo.	到处汪汪汪。
Old MacDonald had a farm,	老麦克唐纳有块地，
eee-i-eee-i-o.	咿呀咿呀哟。

可不断重复歌曲，更换里面的动物和动物的叫声，
duck/quack（鸭 / 嘎嘎），pig/oink（猪 / 哼哼）。

Mary Had a Little Lamb（玛丽有只小羊羔）

Mary had a little lamb,	玛丽有只小羊羔，
little lamb, little lamb,	小羊羔，小羊羔，
Mary had a little lamb.	玛丽有只小羊羔，
Its fleece was white as snow.	雪白的羊毛。
And everywhere that Mary went,	无论玛丽去哪里，
Mary went, Mary went,	去哪里，去哪里，
everywhere that Mary went,	无论玛丽去哪里，
the lamb was sure to go.	小羊一定跟着她。
It followed her to school one day,	它跟着玛丽去学校，
school one day, school one day.	去学校，去学校。
It followed her to school one day,	它跟着玛丽去学校，
which was against the rule.	可是这不行。
It made the children laugh and play,	惹得同学哈哈笑，
laugh and play, laugh and play.	哈哈笑，哈哈笑。
It made the children laugh and play,	惹得同学哈哈笑，
to see a lamb at school.	羊羔怎能进学校？

164

宝宝洗澡

给宝宝做水疗

大宝宝和小宝宝在澡盆里的状态是不一样的。大宝宝的肌肉较为发达，因此更擅长玩水，这意味着你和浴室更容易遭受"洗礼"，但这也意味着宝宝在浴盆里可以做很多游戏。你可以给宝宝试用不同的洗澡工具，比如天然海绵、丝瓜络、浴花或软毛刷，这样可以满足宝宝的好奇心（也能给她好好洗个澡）。让宝宝观察这些工具是如何在水中漂浮（或下沉）的以及如何将这些洗澡工具中的水挤干。用不同的洗澡工具给宝宝洗澡，让她体会不同工具摩擦肌肤时的感觉。在宝宝做游戏和摆弄这些工具的时候一定要保证她的安全。

给宝宝洗澡的时候，你可以用不同材质的洗澡工具，比如用海绵和浴花擦洗宝宝的身体，让她体验不同的感觉。

技能点睛

触觉仍然是宝宝了解周围世界的主要途径。这个洗澡游戏不但可以让她体会丰富的触觉刺激，还能让她认识不同的洗浴工具。

✓	**手眼协调能力**
✓	**精细动作能力**
✓	**触觉刺激**

如果宝宝喜欢这个游戏，家长可以让她再试试第102页的游戏"踢踢踢"。

内容丰富的书

要看和要做的事

技能点睛

这本书里有可以翻开的卡片、可以触摸的材质，还有有趣的图片……这个游戏可以提高宝宝刚刚开始发育的精细动作能力。宝宝看书时，你在旁边的讲解——"这很软。"或者"宝宝能把这个打开吗？"——可以促进她的语言发展，同时还能让她了解一些新的概念。

精细动作能力	✓
语言发展	✓
触觉刺激	✓

她现在会不会翻书？会不会摆弄衣服上的标签？会不会将爸爸的领带从领带架上拉下来？为了满足宝宝的这种天性，你可以为她买一本或者用家中现有的物品做一本内容丰富的书。你只需要收集一些宝宝喜欢看的图片（从杂志和明信片中）、一些不同材质的物品（棉球、人造皮革、灯芯绒、揉皱的锡纸）、可以拉的彩带、可以打开的旧贺卡，然后将这些东西牢牢地粘在纸板上，最后用短彩带将这些纸板串在一起做成一本线装书。

当两个孩子一起玩这个游戏时，小宝宝的动手能力、认字能力和社交能力都可以得到充分的锻炼。

如果宝宝喜欢这个游戏，家长可以让她再试试第70页的游戏"友好的面孔"。

推倒重来

建高塔

随着宝宝双手和手臂协调能力的增强，她常常喜欢将一个东西放在另一个东西上面。你可以有意识地锻炼宝宝的这种能力，用积木、书、麦片盒、鞋盒、塑料杯子或塑料桶和宝宝共同搭建一座高塔。对宝宝来说，这个游戏的乐趣分为两部分：和你一起将不同的物体摞起来，然后由她将其推倒。

技能点睛

将玩具摞起来不仅有助于开发宝宝的大运动能力和精细动作能力，同时还能培养她的空间意识，让她学会分辨不同物体的大小和形状。

推倒玩具塔只是这个游戏的一部分。在搭建高塔的过程中，宝宝能够学着去分辨不同物体的大小和形状。

✓	**精细动作能力**
✓	**大运动能力**
✓	**分辨大小和形状的能力**

如果宝宝喜欢这个游戏，家长可以让她再试试第172页的游戏"盒子和盖子"。

167

鲜艳的色彩、易于抓握的圆环，再加上一些需要
解决的简单问题，将以上这些结合起来就可以让
宝宝兴致勃勃地、一次次地将圆环叠加在一起。

"把它们放在这儿！"

叠圆环

学习分辨大小

有些玩具永远都不会过时——传统的彩色套圈玩具对所有的宝宝都具有吸引力。你可以买一套木制或塑料材质的彩色套圈玩具，也可以自己动手制作。一套体积较大的彩色套圈玩具，比如较大的彩色塑料套圈，对宝宝来说是最简单的。那些精细动作能力更发达的大宝宝可以玩体积较小的彩色套圈玩具——将小圆环套在更细的立柱上。

● 首先为宝宝示范如何将圆环从立柱上拿下来——这比将圆环套在立柱上要简单。如果宝宝将玩具整个拿起来并翻转，然后将所有圆环直接倒在地上，家长也不必制止，宝宝是在为你展示一种最简单、最直接的解决问题的方法！

● 按照大小顺序叠加圆环——大的在下面，小的在上面——要等到宝宝快 2 岁时才能掌握。在此之前，先让宝宝充分练习将圆环拿下来，然后套上，不用在乎什么顺序。

如果宝宝喜欢这个游戏，家长可以让他再试试第167页的游戏"推倒重来"。

巧手课堂

家长可以自己动手做一个套圈玩具来取代市售产品。卫生纸或厨房用纸中间的纸芯可以充当立柱，罐子上的密封圈可以充当圆环——也可以用纸板裁些圆环——然后给宝宝示范如何将圆环从立柱上拿下再套上。

技能点睛

研究如何将圆环取下——即使是将其一下子都倒在地板上——可以提高宝宝解决问题的能力。学习如何将圆环套在柱子上可以发展宝宝的精细动作能力，同时还能帮助他理解大小、形状等概念。

✓	**手眼协调能力**
✓	**大运动能力**
✓	**解决问题的能力**
✓	**分辨大小和形状的能力**

公共礼仪

在公共场合，你的宝宝不会时刻都露出天使般的笑容、发出可爱的叽咕声——即使是非常活泼的宝宝偶尔也会感到烦躁，而人们也未必总是能包容一个吵闹不休的小婴儿。但你和宝宝不可能永远不出门，有时至少要到超市之类的地方走一趟。只要能学会如何应对可能出现的小麻烦，你的生活就会变得更加轻松。

把握时机：如果在宝宝生病、感到疲倦或饥饿的时候带着他四处跑来跑去，肯定会让小家伙烦躁不安，甚至一路哭闹不停。有什么解决的办法吗？那就是尽量避开这些时候外出。此外，还要尽量缩短宝宝在外逗留的时间、等宝宝吃饱睡足后再出门、随身再带些书和玩具——如果需要在外长时间等待，你可以将其拿出来安抚宝宝。

保护隐私：有些妈妈虽然不介意当众给宝宝喂奶，但是在商场里给快1岁的大宝宝喂奶仍会让人觉得有些尴尬，尤其是宝宝已经学会走路和说话的时候。陌生人可能因为你"仍然"在给这么大的宝宝哺乳而面露诧异。如果这会让你感到不舒服，而你又不得不在公共场合给宝宝喂奶，那就尽量找一个没有人的角落，让你和宝宝可以单独享受一段无人打扰的哺乳时间。

抵制语言暴力：陌生人对宝宝的一些负面评价可能让宝宝感到不快，使他的心灵受到伤害。作为母亲，最好的解决办法是从积极角度作出回应。如果有人说你的宝宝很胖或将他错认为女孩，你可以就事论事地回答说："是啊，他真是个漂亮的大男孩，不是吗？"

在外处理尴尬情况时，要为宝宝示范应有的礼仪。虽然宝宝还不会说"请不要碰我"或"我长大后就会瘦下来的"，但他已经能够感受到你处理矛盾的方式方法了。保持冷静、巧妙地应对突发事件、就事论事的态度，可以教他日后用同样的方式来解决问题。

哎呀！

学习因果关系

很多大宝宝都喜欢从高处——比如坐在婴儿椅或妈妈的膝盖上——向下扔东西。你可以将宝宝的这种天性变成一个有趣的游戏，在宝宝想扔东西的时候给她一些引导和鼓励。在宝宝餐椅的托盘上放一些塑料杯、摇铃、小毛绒玩具或积木，然后坐在宝宝旁边的地板上，让宝宝将玩具递给你或丢给你。你还可以一边唱儿歌一边和宝宝做游戏，或者不断向宝宝描述玩具如何"下来"、"上去"。

技能点睛

松开手，然后看着手中的物体落地可以帮助宝宝理解因果关系。在这个年龄段，宝宝刚开始明白她可以通过自己的行为来控制其他人和物——等她长大后会反复试验自己的这个发现，这将促进她的认知和社交能力的发展。

✓ **理解因果关系**
✓ **手眼协调能力**
✓ **抓放能力**
✓ **社交发育**

如果宝宝喜欢这个游戏，家长可以让她再试试第173页的游戏"扔球"。▶

你可以将宝宝与生俱来喜欢丢东西的本能变成一个有趣的学习游戏。

9个月·丁及

盒子和盖子

打开、关上、装满、倒空

技能点睛

一个有盖的盒子对小宝宝来说属于入门级的谜题，因为她必须搞清楚怎样才能打开盖子（简单），之后再研究怎样将其盖回去（难度较高）。这个任务需要宝宝有一定的协调能力和分辨物体形状及大小的能力。这个游戏还能帮她理解"开"和"关"、"满"和"空"、"内"和"外"等概念。

精细动作能力	✓
解决问题的能力	✓
分辨大小和形状的能力	✓
空间意识	✓

◀ 如果宝宝喜欢这个游戏，家长可以让她再试试第160页的游戏"倾倒游戏"。

不断开关空盒子对宝宝来说很有趣，翻出盒子里的东西则是一次有趣的探险。

盒纸巾、一包扁豆，甚至一碗放在冰箱底层的意大利面，对这个年龄段的宝宝来说都是很奇妙的玩具——她想要研究视线内的每样东西。为了宝宝的安全，你可以收集一些易于开关的盒子（比如鞋盒、空塑料盒子，还有方形的礼品盒），然后在里面放些小玩具和小东西，让宝宝的小手不会因为无聊而东摸西摸。

● 尽量将同样的玩具放进同一个盒子里。

● 在宝宝玩盒盖的时候对她讲"开"或"关"，在宝宝玩盒子里的玩具时跟她讲"里面"和"外面"。

扔球

手眼协调练习

金属盆、球……任何能发出响声的东西都会令较大的宝宝兴奋不已。如何才能将这些元素汇集到一个游戏中呢？你可以给宝宝几个很轻的球（比如空心球或乒乓球）和一个大金属盆或塑料篮子，然后给宝宝示范如何将球丢进容器中。每当球"入篮"的时候就会发出声音。这个简单的游戏可以让宝宝非常着迷，同时还能帮他理解因果关系。

技能点睛

对6个月大的宝宝来说，抓球几乎是一种本能。但想让宝宝抓住球后再放开——比如简单地抛球——就有一定的难度了。有意识地将球抛出去是宝宝未来需要学习的一项技能。这个游戏不但可以锻炼宝宝的抓放能力和精细动作能力，同时还能锻炼他的手眼协调能力。

将球丢进盆里这个动作能锻炼宝宝的手眼协调能力。

✓ **手眼协调能力**

✓ **精细动作能力**

✓ **抓放能力**

◄ 如果宝宝喜欢这个游戏，家长可以让他再试试第171页的游戏"哎呀！"。

173

过隧道

穿越空间

技能点睛

爬过狭小的空间不仅可以帮宝宝了解她的身体与其他物体的大小关系，而且有助于发展她的空间意识和身体感知能力。此外，这个游戏还可以开发宝宝的视觉能力，比如深度的视觉感知。而当她不借助周边视觉成功爬过隧道时，还可以建立她的自信心。

身体感知能力	✓
大运动能力	✓
空间意识	✓

◀ 如果宝宝喜欢这个游戏，家长可以让她再试试第157页的游戏"障碍赛"。

你有没有觉得很好奇，为什么宝宝那么喜欢往床底下爬，往沙发后面挤，往衣柜里面钻呢？这个年龄的婴儿对空间有着与生俱来的兴趣——尤其是正好跟她体型差不多大的空间。你可以满足宝宝的这种兴趣，给她买一个或者自己用纸板做一个隧道，让她可以爬进爬出。往隧道里扔一个小球，鼓励宝宝进去抓球。你也可以站在隧道另一端或是在隧道的另一端放些小玩具——比如小球或沙包——吸引她。

当宝宝爬过跟她身体差不多大小的隧道时，她不仅是在狭小的空间里前行，也是在享受探索的刺激。

研究报告

　　很多教育专家在很早以前就相信，每个孩子在接受新知识时都有自己特定的学习风格或偏好。有些孩子需要亲自探索一番才能理解相关知识，而有些孩子只要看过或听过就可以了。目前有些研究者认为，连婴幼儿都会显示出类似的偏好，这要看他们更偏向于密切地注视、倾听，还是摆弄人或物。婴幼儿的感官尚待开发，家长最好不断为其提供能够刺激他们的新环境，供他们探索。

175

身体歌

虽然小家伙这时还不会说"嘴巴"、"鼻子"、"脚"或"脚趾",但她已经开始将你说的这些词跟她的身体部位联系起来了。你可以教她一些关于身体的儿歌,这不仅有助于她的语言发展,还可以提高她的运动能力。边轻轻移动她的手臂和腿脚,边唱关于身体的儿歌,并用你的手指出她身上相应的部位。

Pat-a-Cake(烙大饼)

Pat-a-cake,	烙大饼,
pat-a-cake,	烙大饼,
baker's man.	厨师伯伯,
	(一起拍手。)
Bake us a cake	请以最快的速度
as fast as you can.	给我烙一个。
	(拍手。)
Mix it and prick it,	揉一揉,拍一拍,
	(用手指在手掌上戳几下。)
and mark it with a B,	在上面写个 B,
	(在宝宝手掌上写个 B。)
and there will be plenty	会有很多大饼,
for baby and me.	给宝宝和我。
	(假装把饼放进锅里。)

One Finger One Thumb(一根手指,一根大拇指)

One finger, one thumb, keep moving.	一根手指,一根大拇指,不停地动,
	(碰碰宝宝的手指和大拇指。)
One finger, one thumb, keep moving.	一根手指,一根大拇指,不停地动,
One finger, one thumb, keep moving.	一根手指,一根大拇指,不停地动,
Oh we're all happy today.	哦,我们今天都快乐。
One finger, one thumb,	一根手指,一根大拇指,
one arm, keep moving.	一条手臂,不停地动,
	(碰碰宝宝的手指、大拇指和手臂。)
One finger, one thumb,	一根手指,一根大拇指,
one arm, keep moving.	一条手臂,不停地动,
One finger, one thumb,	一根手指,一根大拇指,
one arm, keep moving.	一条手臂,不停地动,
Oh we're all happy today.	哦,我们今天都快乐。

随着宝宝长大,可以加入更多词汇:one leg(一条腿),one nod of the head(点一下头),stand up(站起来),sit down(坐下),turn around(转圈)。

Head, Shoulders, Knees and Toes
头、肩膀、膝盖和脚趾

Head, shoulders, knees
and toes, knees and toes.
Head, shoulders, knees,
and toes, knees and toes,
and eyes and ears
and mouth and nose.
Head, shoulders, knees,
and toes, knees and toes.

头、肩膀、膝盖
和脚趾，膝盖和脚趾。
（轻拍宝宝的对应的身体部位。）
头、肩膀、膝盖
和脚趾，膝盖和脚趾，
眼睛、耳朵、嘴和鼻子。
头、肩膀、膝盖
和脚趾，膝盖和脚趾。

clap- shoulders, knees,
and toes, knees and toes.
clap-shoulders, knees,
and toes, knees and toes.
and eyes and ears
and mouth and nose.
clap- shoulders, knees,
and toes, knees and toes.

（拍手）– 肩膀、膝盖
和脚趾，膝盖和脚趾。
（拍手）– 肩膀、膝盖
和脚趾，膝盖和脚趾。
眼睛、耳朵、
嘴和鼻子。
（拍手）– 肩膀、膝盖
和脚趾，膝盖和脚趾。

每多唱一次，就多拍一次手来代替下
一个身体部位。

头、肩膀、膝盖和脚
趾——在妈妈演唱身体
儿歌的同时，宝宝会认
识相应的身体部位。

Walking, Walking（走呀走）

Walking, walking,

走呀走，
（你做出相应动作让宝宝看。）

walking, walking,
hop, hop, hop,
hop, hop, hop.

走呀走，
单脚跳，
单脚跳。

Running, running, running,
running, running, running,
now we stop,
now we stop.

跑呀跑，
跑呀跑，
停下来，
停下来。

随着宝宝长大，还可以让他自己做动作，以及用更
多词汇来代替 walking（走），如 tip toe（用脚尖走）、
jumping（双脚跳）、skipping（跳着走）。

研究报告

　　每个家长都希望自己的孩子是个社交高手，能有很多朋友，但孩子要到2岁时才能和其他孩子一起玩耍。虽然你的宝宝不排斥和其他孩子在一起，但他很可能从其他孩子的身上爬过去拿自己想要的玩具或是用手拍打其他孩子的头，这是他探索这个世界的方式。在2岁以前，宝宝主要是在进行"平行游戏"——虽然会和其他孩子坐在一起，但他们不会一起玩，而是各玩各的，就像两条互不干扰的平行线。

不断弹起的球让这个团体游戏的气氛愈来愈融洽。

蚂蚱跳

6 个月及以上

弹球游戏

有什么比弹起的球更能赢得宝宝的关注了，也没有什么比舞动的毯子更能让宝宝开心了。在这个游戏里，你可以将这些结合在一起。找一条小毯子或床单，让一个大点儿的孩子帮你拉住毯子的另一端。然后将一个很轻的球或沙滩球放在毯子中间，先缓慢抖动毯子，之后逐渐加快频率。不断弹起的球会让宝宝非常开心，也可以帮助他理解因果关系。

● 边做游戏边唱儿歌，比如《蚂蚱跳》，这样做可以增强宝宝的节奏感。

◄ 如果宝宝喜欢这个游戏，家长可以让他再试试第148页的游戏"小球员"。

"The First Grasshopper"
（第一只蚂蚱）

Oh, the first grasshopper	哦，第一只蚂蚱
jumped right over,	跳过去，
the second	第二只蚂蚱
grasshopper's back.	跳回来。
The first grasshopper	第一只蚂蚱
jumped right over,	跳过去，
the second	第二只蚂蚱
grasshopper's back.	跳回来。
The first grasshopper	第一只蚂蚱
jumped right over,	跳过去，
the second	第二只蚂蚱
grasshopper's back.	跳回来。
Oh, the first grasshopper	哦，第一只蚂蚱
jumped right over,	跳过去，
the second	第二只蚂蚱
grasshopper's back.	跳回来。

They were only	它们只是在
playing leapfrog.（唱三次）	玩跳背游戏。
When the first grasshopper	当第一只蚂蚱
jumped right over,	刚跳过去时，
the second	第二只
grasshopper's back.	蚂蚱跳回来。

✓	理解因果关系
✓	节奏感

179

我推，你拉

练习走路

技能点睛

在宝宝学习走路的阶段，一个可以推动的物体可充当宝宝走路时的支撑物，这样她就不用扶着家具或拉着你的手了。这个年龄段的宝宝对自己身体的运动方式已经有了一些了解——在前进过程中要克服重力影响让身体保持竖直。推拉和行走可以发展宝宝的平衡能力和大运动能力。

平衡能力	✓
大运动能力	✓
下肢力量	✓

如果宝宝喜欢这个游戏，家长可以让她再试试第184页的游戏"宝宝的长征"。▶

宝宝刚开始学习走路或者已经能够走路的时候，她会很喜欢推着一个较大的支撑物（比如可以推动的玩具、小推车或小凳子）四处走动。装满玩具的洗衣篮也可以成为宝宝很好的学步辅助工具。刚开始，你可以在另一端帮她一起拉——但要注意速度。宝宝很快就想凭借自己的力量前行了。

"看，我的宝宝会走啦！"

一个跟宝宝大小差不多的可移动物体可以作为宝宝行走时很好的支撑物，但要让宝宝觉得她是在自己走。

跟我做

相互模仿

"Just Like Me"（跟我学）

 和着乐曲 **"London Bridge is Falling Down"**（中文曲目《伦敦桥要塌了》）

Make your hands go	举起小手
clap clap clap,	拍一拍,
clap clap clap,	拍一拍,
clap clap clap.	拍一拍,
Make your hands go	举起小手
clap clap clap,	拍一拍,
just like me.	像我这样。
Make your head go	抬起头来
side to side,	摇一摇,
side to side,	摇一摇,
side to side.	摇一摇,
Make your head go	抬起头来
side to side,	摇一摇,
just like me.	像我这样。

身体感知能力	✓
语言发展	✓

◀ 如果宝宝喜欢这个游戏，家长可以让她再试试第158页的游戏"我也可以！"。

模仿年长者——比如哥哥、姐姐、爸爸、妈妈或隔壁的邻居——是较大的婴儿的一个主要学习渠道，你可以将这种模仿的本能变成一个游戏。拍拍膝盖、敲敲地板或是婴儿餐椅的托盘、用手遮住眼睛、张大嘴巴，或者一边唱着简单有趣的儿歌一边左右点头。宝宝会学到相应的动作和有关身体部位的新词语，还可以发现互动游戏的乐趣。

一边控制手臂和手指的运动方向，一边发出新奇的声音，有助于宝宝节奏感的培养和增强对声音的记忆能力。

上下楼梯

学习安全地上下楼梯

宝宝学会在地上自由爬行后，他就会很愿意尝试爬楼梯。上楼梯比较简单，难的是下楼梯。与其因为害怕危险而不准宝宝靠近楼梯，还不如教他如何安全地下楼——脚先下，用脚来接触下一级台阶。宝宝刚开始学习上下楼梯的时候，一定要有家长在旁边指导，绝对不要让他独自爬到楼梯上玩。注意，每次让宝宝练习上下楼梯时，你都要使用统一的提示语言，比如"转身"或"脚先下"。

如何安全地上下楼梯是所有刚刚开始学步的宝宝都要学习的一项重要技能，同时它也是一个非常有趣的游戏。

技能点睛

学会将脚伸到自己看不到的地方，然后找到坚实的落脚点，这种练习可以让宝宝学到很多关于空间关系和平衡感的知识。上下楼梯的练习还可以帮助宝宝进一步理解高度和深度的概念，这样他以后攀爬物体时才会更加小心。

✓	平衡能力
✓	大运动能力
✓	下肢力量
✓	空间意识

如果宝宝喜欢这个游戏，家长可以让他再试试第130页的游戏"靠垫山"。

183

宝宝的长征

练习走路

技能点睛

这个简单的小游戏可以从多方面强健宝宝的身心。它可以提高宝宝的平衡能力和大运动能力，这些是她从一个物体移动到另一个物体时必须掌握的技能。它还能促进宝宝自己去探索如何从一个地方移动到另一个地方——比如说，从茶几到"藏着"玩具的沙发。

对刚刚体会到四处走动的乐趣的宝宝来说，只是简单地从一把椅子走到另一把椅子、从桌边走到椅子边或者从杂志架走到爸爸身边，就可以为她带来无穷的快乐。你可以在不同的位置放置些东西，让宝宝去探索，这样可以让宝宝觉得行走很有趣，同时也可以鼓励那些还不是很会走路的宝宝大胆前行。当着宝宝的面将她最喜欢的玩具放在她够不到的垫子后面或者直接将玩具摆放到你希望宝宝去的位置，然后鼓励宝宝走过去拿玩具。想得到玩具的激动心情可以将宝宝的注意力从脚下移开，这会让她走得更顺利。

每个刚开始蹒跚学步的宝宝都会抓住机会向着自己心爱的玩具前进。

平衡能力	✓
身体感知能力	✓
大运动能力	✓
下肢力量	✓

如果宝宝喜欢这个游戏，家长可以让她再试试第174页的游戏"过隧道"。

12 个月及以上

①

12个月 · 丁以及

1

传球啦！

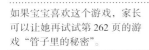

适合初学者的球类游戏

技能点睛

学会滚动皮球和让滚动的皮球停下来，有助于发展宝宝的大运动能力，提高宝宝的手眼（或脚眼）协调能力。同时还能帮助宝宝培养时间感，因为她要在游戏过程中判断出球到达自己面前所需的时间。

虽然接住球对很多宝宝来说都是一个难以完成的动作——这需要很好的协调能力——但是宝宝们都特别喜欢这个可爱的玩具，他们会推一推、踢一踢、抓一抓球。家长可以选择到户外平整的草坪上，也可以在室内选择或清理出一块空间来和宝宝做这个游戏。游戏时，家长坐在离宝宝一两步远的地方，轻轻将球滚到宝宝面前，鼓励她把球滚回来。当宝宝熟练掌握这个过程后，家长就可以慢慢扩大自己与宝宝之间的距离。此外，家长还可以试着轻轻拍球，将球弹给宝宝，之后再让宝宝将球弹回来。

身体感知能力	✓
协调性	✓
大运动能力	✓

最好选择与宝宝脑袋大小差不多的球——如果球太大会吓到宝宝；如果太小，宝宝可能不容易抓住球。

如果宝宝喜欢这个游戏，家长可以让她再试试第 262 页的游戏"管子里的秘密"。

12个月及以上 1

手指乐队

虚拟伴奏

宝宝的"音乐课"开设得越早越好，如果家长能在音乐课上模仿演奏乐器时的手势就更好啦！不必担心你的宝宝从来没有听过单簧管或长号演奏的声音，她肯定会兴致勃勃地观看并模仿你手部的动作。做游戏时，家长的手势一定要清晰有力。如果刚开始宝宝不会模仿，家长可以手把手地教她，帮助她移动手和手指。一旦宝宝熟悉了这些动作，而且完全能够模仿家长的动作，你就可以一边唱歌，一边做腿部抬起、落下的动作。你要试着变换歌声的大小——时而轻柔、时而响亮，并向宝宝说明声音的高低变化。

在开始这场音乐盛宴前，先要让小小音乐家坐在你的腿上，认识一下即将登场的手指乐队。

"The Finger Band"（手指乐队）

 "The Mulberry Bush"（桑树丛）

唱第一节儿歌时，家长要竖起手指，左右摆动。除第一节外，家长要一边唱儿歌一边模仿演奏每种乐器时的手势。

The finger band has come to town,	手指乐队来表演
come to town, come to town,	来表演，来表演
the finger band has come to town,	手指乐队来表演
so early in the morning.	一大清早来表演
The finger band can play the drums,	手指乐队会敲鼓
play the drums, play the drums,	会敲鼓，会敲鼓
the finger band can play the drums,	手指乐队会敲鼓
so early in the morning.	一大清早来敲鼓
The finger band can play the flute,	手指乐队能吹笛
play the flute, play the flute,	能吹笛，能吹笛
the finger band can play the flute,	手指乐队能吹笛
so early in the morning,	一大清早来吹笛

 你还可以模仿其他乐器的演奏手势来重复表演这首儿歌，如钹、单簧管、钢琴、长号、吉他、小提琴。

✓	手眼协调能力
✓	语言发展
✓	听觉能力

189

开心降落伞

轻松锻炼宝宝的平衡能力

技能点睛

降落伞游戏有助于增强宝宝的平衡能力，从而促进宝宝自主活动能力的提高，因为平衡能力是宝宝学习走路、奔跑以及跳跃、翻滚等复杂动作的前提。降落伞质地光滑、色彩鲜亮，本身就会吸引宝宝的注意。别忘了告诉宝宝降落伞上不同颜色的名称，以此来强化他对色彩的认知。

平衡能力	✓
触觉刺激	✓
视觉分辨能力	✓

让宝宝坐在降落伞上，然后由家长拉着降落伞走动，这无疑会让宝宝欢欣雀跃。借助这个游戏，家长就可以放心地锻炼宝宝在运动中的平衡能力啦！在铺着地毯的房间，让宝宝坐在或躺在迷你彩色降落伞上，然后家长轻轻地、缓缓地拉动降落伞，带着宝宝转圈。还可以用毛毯或床单代替降落伞。在和宝宝一起进行室内探索之旅时，要避免碰到家具或有坚硬棱角的物品。

● 另找一位成年人做帮手，和他一起在宝宝头顶上方撑开降落伞。如果宝宝能轻松地站起来，就可以采用下面的方法试试他的平衡能力：趁宝宝的注意力被头顶降落伞的色彩和图案吸引时，你们慢慢地上下抖动降落伞。动作一定要小心，因为即使很轻的降落伞落下都可能绊倒蹒跚学步的宝宝。

"魔毯，魔毯，你的主人在哪里？"每个宝宝都有一个梦想——能坐上爸爸"驾驶"的彩色降落伞（亦可用床单或毛毯代替）。

"毯毯飞喽！"

● 在宝宝头顶上方撑开降落伞或毛毯，一边转圈一边唱 "Ring Around the Rosy"（围着玫瑰转圈）（歌词见第 284 页 "转圈歌"）这首歌曲，也可以唱宝宝喜欢的其他歌曲。当歌曲快结束时，家长要让降落伞从宝宝头上慢慢落下，蒙住宝宝。如果能有很多宝宝一起参与这个游戏，会更加有趣哦！

如果宝宝喜欢这个游戏，家长可以让他再试试第 203 页的游戏 "定格舞"。 ▶

儿歌串烧

儿 百年来，儿歌一直深深吸引着孩子们。虽然并不是每首儿歌的歌词都富于深意，但是儿歌中那些合辙押韵的句子可谓别具魅力、美妙无比。儿歌所使用的语言本身也因此更加有趣、朗朗上口、便于传唱。此外，儿歌还为家长和宝宝提供了一个共享的交流平台。下面这些英文儿歌堪称经典，快快发挥你的聪明才智，给它们配上专属于你和宝宝的手势和动作吧！

Little Bo-Peep（小波比）

Little Bo-Peep has lost her sheep and
doesn't know where to find them.
Leave them alone
and they'll come home,
wagging their tails behind them.

小小波比弄丢了羊，
不知该去哪里找。
波比别心急，
它们会回来，
摇着它们的大尾巴。

Humpty Dumpty（鸡蛋胖胖）

Humpty Dumpty sat on a wall.
Humpty Dumpty had a great fall.
All the king's horses and all the king's men
couldn't put Humpty together again.

鸡蛋胖胖，坐在墙上。
一不小心，跌在地上。
摔得胖胖，全身是伤。
就连国王，也没法帮。

Jack Be Nimble（灵巧的杰克）

Jack be nimble,
Jack be quick.
Jack jump over
the candlestick!

杰克真伶俐，
杰克真够快，
杰克就一跳，
跳过蜡烛台。

Jack and Jill（杰克和吉尔）

Jack and Jill went up a hill
to fetch a pail of water.
Jack fell down and broke his crown,
and Jill came tumbling after.

杰克和吉尔爬上山，
去打一桶水。
杰克摔跟头，摔破他的头，
吉尔也跟着摔。

Row Row Row your Boat（划、划、划你的船）

Row row row your boat,　　划、划、划你的船，

（轻轻帮宝宝用胳膊模仿划船的动作）

gently down the stream.　　慢慢地顺流而下。

Merrily, merrily, merrily, merrily,　　愉快地、愉快地划，

life is but a dream.　　人生不过是一场梦。

Little Miss Muffet（小玛菲特）

Little Miss Muffet sat on a tuffet　　小玛菲特坐板凳，

（让宝宝坐在你的怀里。）

eating her curds and whey.　　吃着凝乳和奶酪。

（假装给他喂东西吃。）

Along came a spider　　一只蜘蛛来，

（让你的手像蜘蛛那样缓缓爬向宝宝。）

and sat down beside her　　和她排排坐，

（把你扮演"蜘蛛"的那只手放在宝宝腿上。）

and frightened Miss Muffet away!　　吓得她赶紧跑。

（抱好宝宝，然后快速站起来。）

Hickory Dickory Dock（滴答，滴答）

Hickory dickory dock,　　滴答，滴答，钟声响，

（来回摆动你的食指，模仿钟摆摆动的样子。）

the mouse ran up the clock.　　老鼠爬到时钟上。

（伸出两根手指沿着宝宝的胳膊向上移动。）

The clock struck one.　　时钟一敲，

（伸出一根手指）

The mouse ran down.　　老鼠逃跑。

（让手指沿着宝宝的胳膊向下滑。）

Hickory dickory dock!　　滴答，滴答，钟声响！

（模仿滴滴答答的钟声。）

更多歌词如下，用 two(二) 或 three（三）来代替第三句中的 one(一)，并用 Like it must do(像它必须做的那样)，或 It's time for tea(该喝茶了) 来代替上面的第四句。

宝宝肯定喜欢模仿家长手部的动作，比如伸出一根手指，表示时钟敲一下。

快乐的泡泡

追泡泡、踩泡泡

技能点睛

追泡泡、抓泡泡、踩泡泡的游戏可以促进宝宝的手眼协调能力、刺激她的感官、培养其身体的协调性、发展其大运动能力。而让宝宝自己试着吹泡泡，又能够让她认识到事物之间的因果关系。此外，踩泡泡的游戏还会让宝宝发现：有些东西看似坚硬，但是稍稍一碰它就会破裂，甚至消失——这可是她的第一堂物理课哦！

巧手课堂

将1杯水、1汤匙甘油（多数药店有售），以及2汤匙洗洁精混合在一起制成能够吹泡泡的液体。我们可以用吸管、塑料圈、铁丝圈，甚至旧笔筒等工具来吹泡泡。

手眼协调能力	✓
大运动能力	✓
语言发展	✓
触觉刺激	✓

在日常生活中，假若存在一个可以让宝宝进入痴迷状态的魔法公式，那这个公式中一定有一瓶能够吹出泡泡的液体和一根吹管。吹泡泡、追泡泡、踩泡泡可谓是刺激宝宝的运动能力、强化其手眼协调能力的绝佳游戏，这个游戏可以让宝宝在比较中熟悉"大"和"小"、"高"和"低"的概念。游戏开始前，家长不妨准备一些规格不同的吸管来吹泡泡。如果你发现宝宝酷爱这个游戏，以至于"泡泡"这个词成了她经常挂在嘴上的词语的话，你可不要吃惊哦！

● 用塑料圈吹出大泡泡，鼓励宝宝追泡泡、踩泡泡并在一旁为其欢呼。再用吸管吹一些小泡泡，重复这个游戏。想要吹出如雨点般的小泡泡需要用力，想要吹出大泡泡用力则需轻柔。在高处和低处都要吹一些泡泡，当泡泡四处飘舞时，你就可以告诉宝宝什么是"高"、什么是"低"。

● 带宝宝到户外吹泡泡，告诉她风不仅可以吹走落叶、吹动头发，还可以吹走泡泡呢。鼓励宝宝用手捏破或用脚踩破泡泡。如果你能一边倒着走，一边吹泡泡，那你就能看到宝宝边追着你跑边抓泡泡的一幕了。

如雨点般飘舞的泡泡会让宝宝十分着迷。追赶泡泡，可以锻炼宝宝的协调能力和大运动能力。

小手拍拍

晃动身体的歌

对一两岁的宝宝来说，掌握身体各部位的名称，学会控制自己的手、胳膊和脚非常重要。下面这首儿歌可以锻炼宝宝的手、脚、胳膊和嘴巴，如果宝宝能熟练掌握这首歌，就能够根据家长的指令指出自己身体的相应部位了。

身体感知能力	✓
大运动能力	✓
听觉能力	✓
社交能力	✓

如果宝宝喜欢这个游戏，家长可以让她再试试第 221 页的游戏 "跟我做"。 ▶

你听过那首经典的英文儿歌 "The Wheels on the Bus"（车轮之歌）吗？现在，你可以通过改变这首儿歌的歌词来让宝宝根据歌词内容做出相应的动作。演唱 "clap clap clap"（拍一拍）时，引导宝宝根据歌词做动作。将歌词、动作和节拍三者结合，能让宝宝感受到音乐的节奏并下意识地模仿你的动作，这样可以强化宝宝的节奏感。

● 宝宝其实很想知道人体各个部位的名称，所以家长一定要在演唱时对其进行特别的强调。当你唱到 "手"、"胳膊"、"嘴巴" 这些词的时候，你要提高嗓门并且要一字一字地唱清楚。为了突出这些词的意思，你的动作幅度不妨夸张一些。

● 你可以不停地变换歌词，从而让宝宝模仿不同的动作，比如让宝宝拍拍腿、扭扭屁股或点点头。

● 宝宝学会这首儿歌后，你可以故意制造几个显而易见的错误，比如应该跺脚时却拍手。这时，宝宝就会哈哈大笑，这说明宝宝已经有了一定的幽默感。

这个音乐游戏简单易学，宝宝会非常高兴地模仿家长拍手或跺脚的动作。

"Clap, Clap, Clap"（小手拍拍）

 和着乐曲 **"The Wheels on the Bus"**（车轮之歌）

You take your little hands	伸出你的小手
and go clap, clap, clap,	拍一拍，
	（拍拍你的手。）
clap, clap, clap,	拍一拍，
clap, clap, clap.	拍一拍。
You take your little hands	伸出你的小手
and go clap, clap, clap,	拍一拍，
clap your little hands.	拍拍你的小手手。
You take your little foot	伸出你的小脚
and go tap, tap, tap,	踩一踩，
	（帮助宝宝踩踩脚。）
tap, tap, tap,	踩一踩，
tap, tap, tap.	踩一踩。
You take your little foot	伸出你的小脚
and go tap, tap, tap,	踩一踩，
tap your little foot.	踩踩你的小脚丫。
You take your little arms	伸出你的小胳膊
and go hug, hug, hug,	抱一抱，
	（相互拥抱。）
hug, hug, hug,	抱一抱，
hug, hug, hug.	抱一抱。

You take your little arms	伸出你的小胳膊
and go hug, hug, hug,	抱一抱，
hug your mom and dad.	抱抱妈妈和爸爸。
You take your little mouth	撅起你的小嘴巴
and go kiss, kiss, kiss,	亲一亲，
	（撅起你的嘴巴。）
kiss, kiss, kiss,	亲一亲，
kiss, kiss, kiss.	亲一亲。
You take your little mouth	撅起你的小嘴巴
and go kiss, kiss, kiss,	亲一亲，
kiss your mom and dad.	亲亲妈妈和爸爸。
You take your little hand	举起你的小手
and wave bye, bye, bye,	说再见，
	（做挥手的动作。）
bye, bye, bye,	说再见，
bye, bye, bye.	说再见。
You take your little hand	举起你的小手
and wave bye, bye, bye,	说再见，
wave your little hand.	挥挥你的小手手。

宝宝自己的步调

俗话说"三翻、六坐、七滚、八爬、周会走。"意思是宝宝3个月时会翻身，6个月会坐，7个月会来回滚，8个月会爬，1岁会走。这句话可以说是描述宝宝发育状况的时间表。如果爸爸妈妈发现宝宝的成长超前了几周或几个月，他们会非常高兴；一旦宝宝的发育与时间表相比有些滞后，他们则会变得忧心忡忡。过去，儿科医生的确会视此时间表为金科玉律；但是现在，大多数医生只会将其作为一个参考，他们更相信宝宝的健康发育有着较大的弹性跨度。

例如，宝宝第一次翻身的时间从 2 ~ 6 个月不等，而开口讲话的时间通常在 1 岁左右，有些宝宝会晚一些。未来的足球明星迈出他们人生第一步的时间通常在 8 ~ 18 个月的时候。大部分孩子会遵循一般的发育规律，但是有些宝宝会跳过某个阶段。比如，他们可能一直都不会爬，然而当他们的肌肉张力和协调能力发育到一定程度时，他们就会直接站起来迈开步子走路。每一个发育阶段都是神经和肌肉的复杂生长过程，它们受遗传和环境两方面因素的影响。

譬如，某人的家族里如果有小孩子学步较晚的情况，那他的宝宝也可能出现同样的情况。一般情况下，如果孩子某方面的发育相对较慢，那他另一方面的发育就会快一些。通常来说，宝宝在某一阶段发育缓慢与重大疾病有关的概率是很低的。大多数孩子都是在按自己的发育速度正常生长。正如教育心理学家简·海利在其著作《儿童的智力发展》（*Your Child's Growing Mind*）中所描述的："发育略显滞后的孩子较之其他孩子并无两样，虽然他们的人生列车起步稍慢，但终究会和其他的孩子一样顺利到达同一个终点。"

小蜘蛛

宝宝最爱的入门级手指游戏

在演唱这首儿歌时，家长可以用生动有趣的手势和动作来模仿小蜘蛛的遭遇和它顽强的精神。通过重复歌词和相应的手势，家长不仅能逗宝宝开心，还能刺激她的听觉能力和语言表达能力。家长还可以借助其他手势或动作辅助这个游戏，比如让"蜘蛛"爬到宝宝的肚皮上，然后让"雨水"哗啦啦地从她肩上落下来，接着教她将双手手指弯曲，举过头顶，模仿太阳。等宝宝熟练掌握这些手势后，你可以慢慢唱这支儿歌，同时提示她做出相应的手势——她的表演会让你大吃一惊哦！

"Eensy-Weensy Spider"
（小蜘蛛）

The eensy-weensy spider went up the water spout.	小小蜘蛛 爬呀爬水管， （手指作向上爬行状。）
Down came the rain and washed the spider out.	大雨哗啦啦， 冲跑小蜘蛛。 （抖动手指作下雨状。）
Out came the sun and dried up all the rain.	太阳公公出来， 晒干了雨水。 （将手指弯曲成圆形，模仿太阳。）
And the eensy-weensy spider crawled up the spout again.	小蜘蛛呀快快爬， 再爬上水管。 （手指再次作向上爬行状。）

✓ 精细动作能力

✓ 听觉能力

✓ 触觉刺激

模仿小蜘蛛爬行的动作不仅可以提高宝宝的听觉能力和语言表达能力，还能训练她的精细动作能力。

199

枕头路

跨越障碍的第一步

技能点睛

宝宝酷爱运动和探索，因此，如果能为其营造一个趣味盎然的环境，引导宝宝动起来，那他一定能度过一段非常欢乐的时光。这个游戏有助于宝宝大运动能力的发展。游戏中，宝宝必须面对并克服眼前的障碍，这不但锻炼了他的大运动能力，还增强了他的平衡能力与协调能力。

平衡能力	✓
身体感知能力	✓
手眼协调能力	✓
大运动能力	✓

在客厅或家庭活动室里把枕头或靠垫依次排列，这样一条简单又安全的障碍路就铺好了。你可以根据室内的空间，尽量把这条路设计得蜿蜒曲折一些。

● 鼓励宝宝从头至尾走完或爬完这条障碍路。这条路高低不平又弯弯曲曲，即便宝宝已经学会走路了，刚开始做游戏时家长也得牢牢牵着他的手。等宝宝的步子迈稳之后，再松开宝宝的手让他自己走。不过这时家长仍然要守在宝宝身旁，以防他跌倒。把宝宝的鞋袜脱掉，可以帮助他更好地掌握平衡哦。

● 将两三个枕头叠放在一起，增加这条路的起伏程度。如果你还想进一步提高游戏的难度，可以将枕头放在桌子下面，这样宝宝就得设法从桌子下爬过去。你还可以把枕头绕着房间摆放一圈（注意避开家具的棱角），这样宝宝就得学着在沙发、凳子、椅子等家具之间小心穿行。

● 使用规格各异、颜色和质地不同的靠垫和枕头，可以提高这个游戏的趣味性。如果你的小宝贝会偶尔停下来用手或脚触碰障碍物，你不必大惊小怪。要让宝宝自己去探索，并温柔地鼓励他继续前进。

◀ 如果宝宝喜欢这个游戏，家长可以让他再试试第190页的游戏"开心降落伞"。

宝宝踩着房间里曲折排列的靠垫或枕头，踏上了他学步的道路。在此过程中，爸爸的帮助是必不可少的。

研究报告

宝宝开始学走路的年龄跨度很大——从 7 ~ 18 个月不等——这说明走路看似简单，其实远比我们预想的复杂。在学习走路时，宝宝的大脑和身体会同时探索着该如何迈出第一步。只有神经细胞实现顺利工作，宝宝才能做出稳健、可控的动作，而这是需要时间的。此外，宝宝的双腿还必须具备足够的肌肉张力，同时他的平衡能力与协调能力也需要逐步精进。当然，上述技能的发展进度是因人而异的。

戴帽子喽！

尝试不同的头饰

技能点睛

　　向宝宝描述你和他头戴的帽子，宝宝就能够在游戏中接触到新词语，而这些词语日后会成为他所掌握的词汇的一部分。就算家长更换不同的帽子，宝宝也会意识到虽然你看上去和平时不一样，但妈妈还是妈妈，爸爸还是爸爸。宝宝再大一些，就能借助帽子扮演不同的角色了，这可以提高他的想象力。

认知发展	✓
语言发展	✓
社交能力	✓

给宝宝戴上消防队员的帽子时，最好再配以一些特定的声音，比如模仿消防车的警笛声。这样宝宝就会被深深吸引，并冲你笑个不停。换一顶帽子就改变一次声音，这样游戏的效果就更棒啦！

　　当看到家长把棒球帽反着戴时，宝宝准会乐得咧嘴大笑。给宝宝戴上各式各样别致的帽子，他就会乐得合不拢嘴。家长可以从旧货店或老房子的阁楼里搜罗些有趣的帽子，将其戴在自己和宝宝的头上，然后和宝宝站在镜子前，看着你们在镜子里的模样开怀大笑。做游戏时家长要用一些形容词来描述你们所戴的帽子（"这是一顶红色的大帽子"或者"帽子上的这些羽毛真柔软"），这有助于扩大宝宝的词汇量。

　　等到宝宝快 2 岁时，他就会通过戴不同的帽子来扮演不同的角色取乐啦。

定格舞

跳一跳，停一停

准备好磁带或唱片，请他人负责播放音乐、控制音量。将宝宝抱在怀里，随着音乐翩翩起舞吧！你还可以自己录制一些旋律时断时续的音乐。抱紧宝宝，音乐响起后随着节拍夸张地摆动身体，偶尔还可以给宝宝制造点儿惊喜，让他突然"滑下去"。音乐一停，立刻"定格"——保持原有姿势一动不动；音乐响起，继续跳舞，就这样跳跳停停，停停跳跳。大一点儿的宝宝可能自己合着音乐或停或跳，但是大多数宝宝还是喜欢在家长的怀里"定格"。

技能点睛

整个晚上，宝宝都依偎在你的怀里欣赏着美妙的音乐。感受音乐的旋律对发展宝宝的语言能力和音乐技能至关重要。家长在摇摆中的突然"定格"，可以训练宝宝在运动中的平衡能力。音乐忽停忽放，能带给宝宝期望和惊喜，同时还锻炼了他的听觉能力。

✓	平衡能力
✓	听觉能力
✓	社交能力

恰——恰——恰……随着音乐随意摇摆，一定会让宝宝兴奋不已。当家长突然停止摇摆时，宝宝会感到更加惊喜。

认知儿歌

通过儿歌来启蒙宝宝的认知，是他们最喜欢的方式之一。经常给宝宝唱这些儿歌，他们就会在潜移默化中学会经典的旋律、学会常用的颜色，还有基本的英文字母。

当家长又唱又演《一闪一闪亮晶晶》这首经典儿歌时，宝宝一定会为之着迷。

Twinkle, Twinkle Little Star（一闪一闪亮晶晶）

Twinkle, twinkle little star,	一闪一闪亮晶晶， （双臂举起，双手一张一合。）
how I wonder what you are!	满天都是小星星。
Up above the world so high,	挂在天上放光明， （指向天空。）
like a diamond in the sky.	好像千万小眼睛。 （弯曲大拇指和食指，勾勒出钻石的样子。）
Twinkle, twinkle little star,	一闪一闪亮晶晶， （双手一张一合。）
how I wonder what you are!	满天都是小星星。

What Color Are You Wearing?
（你的衣服是什么颜色？）

If you're wearing red,（唱 3 次）	如果你的衣服是红色，
jump up and down.	那就跳上又跳下。
Jump,（唱 6 次）	跳、跳、跳、跳、跳、跳，
jump up and down.	跳上又跳下。
If you're wearing orange,（唱 3 次）	如果你的衣服是橙色，
turn around.	那就转个圈。
Turn, turn, turn,	转、转、转，
turn around.	转个圈。
If you're wearing blue,（唱 3 次）	如果你的衣服是蓝色，
tap your toes.	那就轻拍脚趾。
Tap, tap, tap, tap, tap, tap,	拍、拍、拍，
tap your toes.	轻拍脚趾。
If you're wearing purple,（唱 3 次）	如果你的衣服是紫色，
stomp your feet.	那就踩踩脚。
Stomp,（唱 6 次）	踩、踩、踩、踩、踩、踩，
stomp your feet.	踩踩脚。
If you're wearing green,（唱 3 次）	如果你的衣服是绿色，
touch your nose.	那就摸摸鼻子。
Touch,（唱 6 次）	摸、摸、摸、摸、摸、摸，
touch your nose.	摸摸鼻子。
And if you're wearing yellow（唱 3 次）	如果你的衣服是黄色，
shout hurray.	那就大喊好。
Hurray, hurray, hurray,	好、好、好，
shout hurray!	大喊好。

The Alphabet Song（字母歌）

A-B-C-D-E-F-G,	A-B-C-D-E-F-G,
H-I-J-K,	H-I-J-K,
L-M-N-O-P,	L-M-N-O-P,
Q-R-S,	Q-R-S,
T-U-V,	T-U-V,
W-X,	W-X,
And Y and Z.	还有 Y 和 Z。
Now I know my A-B-C's.	现在我学会了我的 A-B-C 之歌。
Next time won't you sing with me!	下次和我一起唱吧！

205

车轮之歌

音乐 · 交通工具 · 旅行

技能点睛

简单易记的旋律、轻松易学的动作，适合宝宝进行相应的技能训练。重复吟唱这首儿歌有助于宝宝听觉能力的发展，相应的手势和动作有助于宝宝理解歌词的内容。随着宝宝运动技能和记忆力的逐渐提高，他能慢慢模仿家长的大部分动作，没准还能猜中你要做的下一个动作呢！

这是一首经典的英文儿歌，这个游戏可以有多种玩法，最简单的方法就是让宝宝和家长面对面坐好或者让宝宝背对家长，坐在家长的腿上。如果宝宝是坐在家长腿上进行游戏的话，家长可以握住他的手，慢慢地引导他做动作。

● 游戏开始后，家长边唱歌边做不同的动作，同时鼓励宝宝跟着自己一起做。

● 如果灵感迸发，你可以自创歌词和动作——宝宝肯定喜欢你的创作。

开动汽车，载着你的乘客去旅行。看，汽车车轮转啊转，雨刷器刷啊刷。

身体感知能力	✓
认知发展	✓
协调性	✓
语言发展	✓
听觉能力	✓

"The Wheels on the Bus"（车轮之歌）

The wheels on the bus go
round and round,

汽车车轮
转啊转，

（转动前臂，表示车轮在转。）

round and round,

转啊转，

（转动前臂。）

round and round.

转啊转，

（继续转动手臂。）

The wheels on the bus go
round and round,

汽车车轮
转啊转，

（转动前臂。）

all through the town.

跑遍整个城。

（手臂在空中画个大圆圈。）

The door on the bus goes
open and shut,

汽车车门
开又关，

（两手并排，再合住。）

open and shut,

开又关，

（两手并排，再合住。）

open and shut,

开又关。

（两手并排，再合住。）

The door on the bus goes
open and shut,

汽车喇叭
开又关，

（两手并排，再合住。）

all through the town.

响遍整个城。

（手臂在空中画个大圆圈。）

Continue with:

继续：

The wipers on the bus go
swish, swish, swish . . .

汽车雨刷
刷刷刷。

（左右摆动前臂。）

The horn on the bus goes
beep, beep, beep . . .

汽车喇叭
嘀嘀嘀，

（用手做按喇叭的动作。）

The driver on the bus says
"Move on back" . . .

司机忙说：
"往后走。"

（用大拇指指向身后。）

The people on the bus go
up and down . . .

汽车车灯
一起一落。

（身体向上再向下。）

The baby on the bus says
"Waah, waah, waah . . ."

车上宝宝
"哇哇哇。"

（抱着宝宝摇来摇去。）

The mommy on the bus says
"Shhh shhh shhh " . . .

妈妈忙说：
"嘘嘘嘘。"

（把食指放在嘴边。）

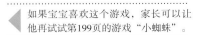

如果宝宝喜欢这个游戏，家长可以让
他再试试第199页的游戏"小蜘蛛"。

橱柜乐队

锅碗瓢盆交响乐

技能点睛

宝宝敲击不同的物体，就会听到不同的声音，这可以帮助他理解什么是因果关系。例如，让宝宝敲敲碗，他就会明白原来自己也可以制造声音。练得越多，宝宝的协调性和节奏感就越好，在练习的同时宝宝还能认识到，用橱柜里的"乐器"可以奏出很多有趣的声音。

理解因果关系	✓
协调性	✓
听觉能力	✓
节奏感	✓

找一个较低的橱柜，清空里面的物品，再放入结实的硬木勺、大小不一的金属碗、轻质的平底锅（小煎锅或蛋糕圆模就很不错）、木制的沙拉碗、各式各样的金属盖和塑料量杯等。"乐器"的种类越多越好，这样可以制造出不同的声音、演奏出风格各异的乐曲。尽情发挥你的想象力和创造力，把橱柜填满。如果手边恰好有玩具乐器，也可以将其放进橱柜。

● 对大一点的宝宝，家长可以和他组建一支乐队。宝宝负责"奏乐"，而身为乐队队长的你就负责指挥宝宝演奏——该敲的时候敲，该停的时候停。

● 对年龄小一些的"音乐家"，家长要鼓励他尝试用不同的方式敲击"乐器"，感受不同的声音效果——时而饱含热情、时而轻柔温和、时而缓慢、时而紧张。一定要让宝宝感受到每种声音的不同之处。

● 播放宝宝喜欢的音乐（最好是节奏感强的旋律），然后鼓励他伴着节奏敲打自己手中的"打击乐器"。

除了水槽，厨房里的所有物品都可能成为这个"乐坛新星"演奏的乐器。

教育心理学家简·海利认为，宝宝演奏的"厨房交响乐"尽管听上去刺耳，但它其实是很好的"健脑食品"。海利说："那些能发出声音或者形状特别的玩具，可以提高孩子的认知能力。不过更重要的是，孩子能够与这些玩具互动。敲击两个煎锅的效果远胜于按下玩具的按钮，听其内置的电子部件发声。敲击煎锅时，宝宝能够把发声的原因和结果联系在一起，也能亲眼看到玩具各部分是如何工作的。"

209

我猜，我猜，我猜猜猜

说说盒子里是什么

技能点睛

这个游戏能强化宝宝的视觉记忆和精细动作能力。学着把事物的名称和实物对应起来，能提升宝宝的语言表达能力，对他以后的阅读和识字都是非常有好处的。随着宝宝词汇量的增加，家长要不断给盒子里贴上新的图片。

收集各种盒子，比如饼干盒、鞋盒或礼品盒。剪下家人的照片或一些常见物品的图片，将其贴在盒盖内侧。和宝宝一起打开盒子，讨论盒盖里的照片或图片。等宝宝熟悉之后，让他自己打开盒子说出图片和照片上是什么。一旦宝宝拥有了这一能力（2岁左右），家长可以再测测他的记忆力：问宝宝哪个盒子里有爸爸的照片，哪个盒子里有小马或皮球的图片。

精细动作能力	✓
语言发展	✓
社交能力	✓
视觉记忆	✓

打开盒子找妈妈、爸爸或家中宠物狗的照片，不但可以强化小宝贝的探索意识，还能提高他的视觉记忆。

210

快乐小脚丫

脚下的缤纷世界

刚刚开始蹒跚学步的宝宝还在不断适应行走的感受，这时，家长要充分利用她的好奇心，脱掉她的鞋袜，带她到户外体验各种质地的路面，比如松软的沙地、光溜溜的鹅卵石路、冷冰冰的水泥路、湿漉漉的草地和软塌塌的泥地。

等宝宝再大一点儿，你可以问问她走路时的感觉如何。如果她还不知道该怎样描述，你可以教她一些词，如"热热的"、"硬邦邦的"、"软软的"。不用担心光脚走路会弄脏宝宝的小脚丫，你只需准备一盆热乎乎的肥皂水，问题就迎刃而解啦。让宝宝多玩一会儿吧！

宝宝的小脚很敏感，当她踩在不同的路面上时，她会非常开心，比如软软的草坪上。你也脱掉鞋子，和宝宝一起享受光脚走路的乐趣吧！

技能点睛

对小宝宝来说，光脚走路更容易，因为她能更好地利用脚趾帮助身体保持平衡。在质地特别的路面上行走，会让宝宝笑个不停，同时她也会熟悉不同质地路面的特点，还能学到一些新词。

✓	**身体感知能力**
✓	语言发展
✓	感官探索
✓	触觉分辨能力

211

纸板城堡

打造属于宝宝的王国

技能点睛

从纸板通道里爬进爬出能锻炼宝宝的协调能力和空间感。与爸爸妈妈玩角色扮演游戏和捉迷藏游戏，可以培养宝宝的社交能力。对大一点儿的宝宝来说，鼓励他们自己挑选城堡装饰物，还有利于他们学会如何表达自己的好恶，同时还能培养他们的艺术天赋。

巧手课堂

长方形的纸箱适合搭建通道，正方形的纸箱适合建造漂亮的小屋。经过绘图纸和绘图笔的装点，纸板城堡显得温馨十足。注意，务必将纸箱的底部固定结实，我们可不希望看到城堡倒塌的一幕。

宝宝喜欢独立自主、不受约束，不喜欢自己不够强大或者家长不准他们做自己能做的事。用硬纸箱搭建一座城堡对大人来说只是小事一桩，而宝宝却能因此拥有自己的王国。将纸箱首尾相连组成通道，这样宝宝就能在里面爬进爬出，和家长玩捉迷藏的游戏。至于搭建城堡所用的原材料，没有比家电包装箱等大箱子更适合的材料了。

● 在纸箱侧面裁出门和窗户，让宝宝可以把它们打开、关上。宝宝从盒子里向外望时，家长可以对她挥挥手说再见或者和她玩捉迷藏的游戏，这样你无需走远，就能锻炼宝宝的独立能力。

● 可以在纸箱里铺上不同材质的毯子，在角落里摆上玩具乐器，再放进几篮五颜六色的物品供宝宝玩倒空和重新装满的游戏。

大运动能力	✓
感官探索	✓
社交能力	✓
触觉刺激	✓

如果宝宝喜欢这个游戏，家长可以让她再试试第245页的游戏"捉迷藏"。

"嗨，有人在家吗？"

纸板城堡让宝宝拥有了自己的独立王国。有妈妈陪在旁边，宝宝会信心满满地开始她的城堡探索之旅。

12个月·于公及

一书一世界

我家有个小书虫

技能点睛

阅读是学习语言的重要途径。宝宝可以从家长和其他人的讲话过程中学到大部分的语法规则。最新一项研究表明，宝宝词汇量的多少取决于她听到的有意义的语篇数量。因此，给宝宝读得越多，她的语言表达能力就发展得越快、越好。

语言发展	✓
听觉能力	✓
视觉分辨能力	✓
视觉记忆	✓

宝宝可能还不会说话，也不能理解家长说的每一句话，但即便是很小的宝宝，也喜欢和爸爸妈妈或爷爷奶奶一起看书。语言的节奏美吸引着宝宝，书中的图片是他们认识世界的窗口。

● 给宝宝看的书应当有清晰的图片，而且图片的内容最好是宝宝熟悉的日常物品。家长边读边指给她看，帮助她学习"椅子"、"房子"和"汽车"等常用词汇。

● 尽量选择用布、塑料或硬纸板做成的书，它们比用普通纸张制作的书籍更结实，这样就算宝宝拿着它又咬又撕也不要紧。此外，封皮有填充物的小开本书更适合宝宝的小手抓握。

● 遇到押韵的句子和宝宝可能感兴趣的有趣说法时，家长要着重强调。

● 删除长篇大论的叙述性句子和晦涩难懂的句子，精简故事情节，多讲讲书中的插图和照片。这样不仅可以引起宝宝的阅读兴趣，还能提高她的观察力。

● 别忘了，小宝宝不可能长时间久坐，家长要根据她的注意力量身打造合适的阅读时间。如果她想玩玩具或者想一个人安静地待着，抑或是想做些她喜欢的事，随她去好了。结束阅读的时间要恰到好处，最好趁宝宝兴致犹在时适时而止，这样读书对宝宝来说才是愉悦的，并且会成为其享受一生的乐事。

即使宝宝年龄尚小，不能理解书中的故事情节，也会被彩色的图画吸引，陶醉于简洁的语言节奏和奶奶抑扬顿挫的朗读声中。

研究报告

1994 年，美国卡内基基金会的一项调查显示，尽管老师建议家长给学龄儿童读书听，但是只有一半的孩子享受到了这种待遇。儿童保育专家佩内洛普·利奇在其著作《你的宝宝》（*Your Baby and Child*）一书中提到："尽早让孩子接触阅读这一重要的学习与娱乐方式，能让他们（和书）交上朋友，还能学会如何评价一本图书。"同时利奇还建议父母多给宝宝看图文并茂的图书，多花时间给宝宝讲解插图的意思。她还表示："读图是宝宝通往阅读之路的必由起点。"

重复！重复！重复！

陪着宝宝不停地把皮球滚来滚去，无聊吗？一遍又一遍地阅读宝宝喜欢的书，有意思吗？宝宝总是翻来覆去地玩那几个游戏，他不觉得单调吗？作为家长，你会不会有此疑问？

一次次的重复是对家长耐心的考验，然而从宝宝成长的角度来看，重复的作用不容小视。教育心理学家简·海利在其著作《儿童的智力发展》一书中谈到："一项活动必须重复许多次才能在人的中枢神经系统中稳定固化。"换言之，每晚给宝宝讲同样的故事，有助于刺激宝宝的脑细胞，让宝宝把词语和它们所指代的事物联系起来。以滚皮球游戏为例，你很快就会发现宝宝的手眼协调能力是如何提高的。诸如此类简单的活动，为宝宝日后进行复杂的活动奠定了基础，使他能更容易地读懂詹姆斯·乔伊斯的小说《尤利西斯》或参加职业棒球大联盟的比赛。

此外，宝宝不会像成人那样容易厌倦。神经病学专家安·巴尼特在其与丈夫理查德·巴尼特合著的著作《最年轻的头脑》（*The Youngest Minds*）中指出："随着宝宝越来越熟悉儿歌和简单的游戏，他们也会越来越痴迷于此。"学会一种新的技能可以大大增强宝宝的自信心，甚至还会激发他们迎接挑战的欲望。

然而这并不意味着家长应当没完没了地和宝宝玩同一个游戏——这样就连小宝宝也会受不了。你要善于观察，注意宝宝是否流露出烦躁不安的情绪。如果他玩得不亦乐乎，那就让他尽情享受吧，即使一遍遍地重复也无妨。

罐中取宝

看看罐子里面有什么

收集若干罐体透明、盖子易于打开的塑料罐。分别将宝宝喜欢的玩具或彩色围巾放入罐子里，然后盖上盖子。让宝宝自己打开盖子，取出里面的东西（如果宝宝的手指还不够灵活有力，家长就要把盖子拧得松一些）。宝宝肯定喜欢一次次地重复这个游戏。注意，玩具的直径一定要大于4.5厘米，以防宝宝吞食，发生危险。

技能点睛

让宝宝拧开盖子，即使是已经拧松的盖子，也能够提高她的协调能力和精细动作能力。就算宝宝只是试图拧开盖子，也能达到同样的效果。在这个游戏中，宝宝的努力当时就能获得回报，这会激励她一次又一次地重复同一动作。

✓	**精细动作能力**
✓	**语言发展**
✓	**社交能力**

塑料罐里的玩具足以吸引宝宝打开盖子。

如果宝宝喜欢这个游戏，家长可以让她再试试第246页的游戏"麦圈挑战赛"。▶

217

有趣的膝上歌

对一个时刻都忙不停的宝宝来说，坐在爸爸妈妈腿上绝不是无所事事的时候。家长的腿是宝宝的避风港——玩累了可以依偎在上面休息一下。另外，宝宝还能在爸爸妈妈的腿上找到其他的乐趣，比如读书、摇来晃去、蹦蹦跳跳，还可以唱以下的儿歌，然后想象自己变成了一架飞机、一匹小马，甚至是一只可爱的青蛙。

The Airplane Song（飞机之歌）

和着乐曲 **"Row, Row, Row Your Boat"**
（划啊划，划小船）

Fly, fly, fly your plane,　　飞飞小飞机，
fly your plane up high.　　飞得高又高。
Merrily, merrily, merrily, merrily,　　多么开心，多么快乐，
high up in the sky!　　呼啸冲云霄。

双手抱紧宝宝，举过头顶，让他感觉自己好像是一架直冲云霄的飞机。

宝宝"展翅高飞"时，你的微笑会带给他安全感。父与子，齐欢乐。

Hop up My Ladies（跳起来，我的女士们）

Did you ever go to meeting,	你去过聚会吗，
Uncle Joe, Uncle Joe?	乔叔，乔叔？
Did you ever go to meeting,	你去过聚会吗，
Uncle Joe?	乔叔？
Did you ever go to meeting,	你去过聚会吗，
Uncle Joe, Uncle Joe?	乔叔，乔叔？
Don't mind the weather	不要管那天气，
when the wind don't blow.	只要风不吹。

Hop up, my ladies, three in a row. 跳起来，我的女士们，三个一排。
Hop up, my ladies, three in a row. 跳起来，我的女士们，三个一排。
Hop up, my ladies, three in a row,. 跳起来，我的女士们，三个一排。
Don't mind the weather 不要管那天气，
when the wind don't blow. 只要风不吹。

Will your horse carry double, 你的马能坐两个人吗，
Uncle Joe, Uncle Joe? 乔叔，乔叔？
Will your horse carry double, 你的马能坐两个人吗，
Uncle Joe? 乔叔？
Will your horse carry double, 你的马能坐两个人吗，
Uncle Joe, Uncle Joe? 乔叔，乔叔？
Don't mind the weather 不要管那天气，
when the wind don't blow. 只要风不吹。

（重复第二段）

让宝宝坐在你的腿上，双手扶着他，同时双腿
颠来颠去，让宝宝感觉自己就像骑在小马上。

Down on the Banks（在河边）

Down on the banks of	在小河边，
the hanky panky,	湿漉漉，
where the bullfrogs jump	一群牛蛙，
from bank to banky.	跳来跳去。
With a he,hi,ho,hop,	它们呱呱地叫着跳，
leaps off a lily pad	突然一只没踩稳，
with a big kerplop!	它落水了，真糟糕！

教宝宝唱这首歌时，把他
放在你的膝盖上，一
边唱一边颠。扶住
宝宝，等唱到"呱
呱地叫着跳"的时
候，让他落到你的两
腿之间。

我有一只小鸭子

戏水儿歌

"I Have a Little Duck"
（我有一只小鸭子）

 "The Wheels on the Bus"（车轮之歌）

I have a little duck that says	我的小鸭子唱着
quack, quack, quack,	嘎嘎嘎,
quack ,quack, quack,	嘎嘎嘎,
quack, quack, quack.	嘎嘎嘎。
I have a little duck that says	我的小鸭子唱着
quack, quack, quack,	嘎嘎嘎,
all day long.	一直唱。

（和着节奏拍手。）

I have a little duck that goes	我的小鸭子戏水
splash, splash, splash,	啪啪啪,
splash, splash, splash,	啪啪啪,
splash, splash, splash.	啪啪啪。
I have a little duck that goes	我的小鸭子戏水
splash, splash, splash,	啪啪啪,
all day long.	真开心。

（和着节奏拍水。）

理解因果关系	✓
语言发展	✓
听觉能力	✓
节奏感	✓
感官探索	✓

宝宝在宝宝游泳池或浴缸里嬉水时，你可以唱响这首欢快的儿歌和他一起做游戏，最好还有玩具鸭子做道具。说到玩水，小宝宝可不用家长多教，而你要做好被水打湿的准备。唱第一节时，在水里将双手手掌并在一起，模仿一张一合的鸭嘴。不知不觉间，宝宝的听觉记忆和节奏感都会得到增强。

你家的"鸭宝贝"听着欢快的儿歌，一边尽情戏水，一边愉快地看着你手掌张合和划水的动作。

跟我做

找出对应的身体部位

这个欢快的游戏能够充分利用宝宝善于模仿的天性。家长可以把宝宝放在自己的腿上，或者面对宝宝站立。唱歌时，家长要着重强调有关身体部位名称的歌词，同时不要忘记在宝宝身上指出对应的部位。如果宝宝表现得不够配合，你可以温柔地摆弄他的小胳膊、小腿。每遍演唱结束后，鼓励宝宝自己指出与歌词对应的身体部位。等宝宝掌握自如后，你可以试着添加新的动作。

一边唱歌，一边向宝宝演示如何抬起胳膊，这是向他介绍自己身体部位名称的好方法。

"Just Like Me"（跟我做）

 和着乐曲 **"London Bridge Is Falling Down"**（伦敦桥要塌了）

逐一表演歌中描述的动作。

Make your arms	将你的胳膊
go up and down,	举起放下
up and down, up and down,	举起放下，举起放下，
make your arms	将你的胳膊
go up and down,	举起放下，
just like me.	像我这样。

Continue with:	继续：
Move your hands up and down . . .	将你的小手举起放下……
Move your shoulders up and down . . .	将你的肩膀抬起放下……
Flap your elbows up and down . . .	将你的眉毛挑起落下……
Make your legs go up and down . . .	将你的小腿抬起放下……
Move your feet up and down . . .	将你的小脚抬起放下……
Move your body up and down . . .	将你的身体抬起放下……

- ✓ 身体感知能力
- ✓ 认知发展
- ✓ 协调性
- ✓ 创造性动作
- ✓ 听觉能力

221

我是大明星

录音游戏

技能点睛

　　或许你已经注意到了，这个阶段的孩子关注的焦点是她自己——她会认为所有的东西都属于自己。宝宝在镜子里看见自己的模样时会着迷不已，在录音机里听见自己的声音时会陶醉其中。录音游戏能够促进宝宝的听觉能力，而这对她的语言表达能力培养又起着至关重要的作用。

语言发展	✓
听觉能力	✓
社交能力	✓

　　我们都知道，宝宝听到其他孩子的声音会很开心。作为家长，你应该也注意到了，宝宝看到镜子里的自己同样会乐不可支。现在，想象一下，如果能听到自己的声音，她得乐成什么样！录下宝宝的声音能带给她全新的感觉，同时也能用声音记录她的成长过程，这可是宝宝日后值得珍藏的一份大礼。

● 录下宝宝的声音——无论是看到爸爸扮鬼脸时发出的笑声，还是做游戏时咿咿呀呀的自语声，或是拿着玩具电话打电话时的声音，甚至是在浴盆里发出的欢快叫声。

● 录下家长为她念书的声音。等宝宝再大一点儿，就能重温儿时的故事时间啦，而且里面还有她自己说话的声音哟。

● 录音时可以使用带有麦克风的盒式磁带录音机，当然外接式的独立麦克风的录音效果会更好。尽量不要使用录音时间过长的磁带（120分钟以上），因为经过长时间的工作，这种磁带更容易损坏。

● 宝宝长到两三岁时，就可以鼓励她对着录音机唱歌。如果她害羞，你就要为她加油助威，陪她一起唱。

如果宝宝喜欢这个游戏，家长可以让她再试试第224页的游戏"镜子，镜子，告诉我"。▶

小家伙一旦知道了麦克风的作用，就会主动拿来玩，冲着它兴高采烈地说个不停，这是宝宝认识自我的全新方式。

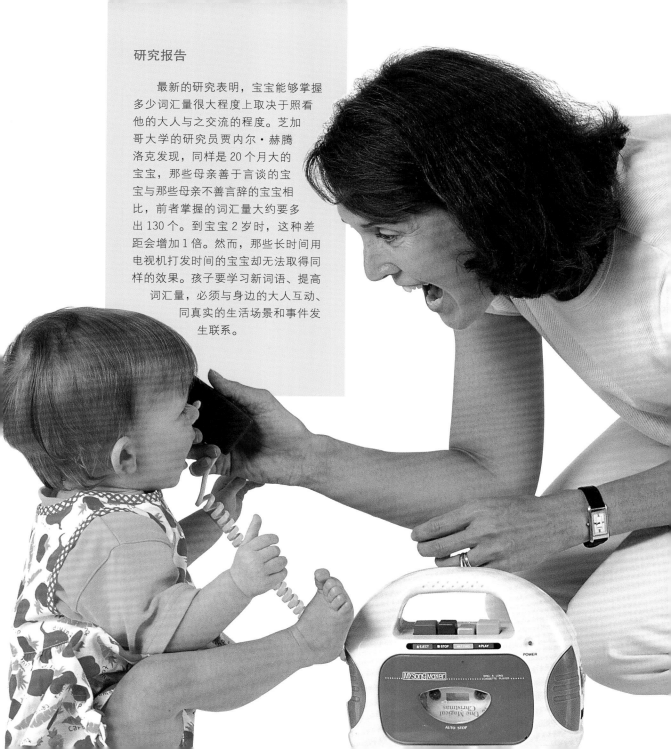

研究报告

　　最新的研究表明，宝宝能够掌握多少词汇量很大程度上取决于照看他的大人与之交流的程度。芝加哥大学的研究员贾内尔·赫腾洛克发现，同样是 20 个月大的宝宝，那些母亲善于言谈的宝宝与那些母亲不善言辞的宝宝相比，前者掌握的词汇量大约要多出 130 个。到宝宝 2 岁时，这种差距会增加 1 倍。然而，那些长时间用电视机打发时间的宝宝却无法取得同样的效果。孩子要学习新词语、提高词汇量，必须与身边的大人互动、同真实的生活场景和事件发生联系。

镜子，镜子，告诉我

认识自己

技能点睛

宝宝成长的关键是她作为一个人形成的自我意识（因此，她对"我"、"我的"以及"你"、"你的"这些概念很感兴趣）。照镜子可以强化宝宝区分自我和他人的能力，还能激发她对自己身体的兴趣。在镜子前指出宝宝身体各部位的名称，有助于她理解这些名称的含义，激励她进一步认识自己。

身体感知能力	✓
语言发展	✓
自我意识	✓
社交能力	✓
视觉分辨能力	✓

当宝宝还是个小不点儿时，她就对自己的形象充满了好奇。但直到她满1岁后，镜子所能带给她的乐趣才能显现出来，因为此时她明白了镜子里的人就是自己——在此阶段，宝宝最感兴趣的恰恰就是认识自己和自己身体的不同部位。

家长可以看着宝宝在镜子前做出各种表情——高兴、难过、滑稽。对大一些的宝宝，要鼓励她模仿你的表情、动作，指出她的胳膊、腿、眼睛、鼻子以及身体其他部位的名称。别忘了在此过程中你也要指出自己身体对应的部位哦。

问宝宝镜子里哪个是妈妈，哪个是宝宝。很快，你就会惊讶地发现宝宝已经能够将自己和他人分得清清楚楚啦。

看见大镜子里的自己，可以强化宝宝已形成的自我意识，让她明白自己是一个真实存在的人，有胳膊、眼睛，还有一张笑呵呵的小脸呢。

嗨，尼克博克先生

一个孩子的乐队

让宝宝坐在你的腿上或者面对你坐在地上来唱这首惹人爱的童谣。首先，你要用双手轮番拍击地面，然后再拍手，这样反复，以创作一个缓和的节奏。开唱后，要引导宝宝和你一起拍手。重复这首儿歌的前两行，再做出新的动作、发出新的声音。如果你的宝宝试图控制自己的身体发出某种声音（如跺脚或叩齿），这意味着他的语言能力和运动技能都得到了提高。

和宝宝重复演唱这首儿歌时，家长可以配以自创的有趣声音，与宝宝共度一段欢乐的时光。

"Hey Mr. Knickerbocker"
（嗨，尼克博克先生）

Hey Mr. Knickerbocker, boppity, bop!	嗨，尼克博克先生，你高兴吗？ （先拍拍地面，再拍手，重复以上动作。）
I like the way you boppity, bop!	我喜欢你高兴时的样子。 （交替拍地面、拍手。）
Listen to the sound we make with our hands.	来听听我们用手发出的声音。 （搓搓手，发出摩擦声。）
Listen to the sound we make with our feet.	来听听我们用脚发出的声音。 （随着节奏用力跺脚。）
Listen to the sound we make with our knees.	来听听我们敲打膝盖的声音。 （随着节奏用手轻轻地敲打膝盖。）
Listen to the sound we make with our teeth.	来听听我们牙齿发出的声音。 （轻碰上下齿。）

继续通过拍打、摩擦等方式让身体的不同部位发出声音。

✓	精细动作能力
✓	大运动能力
✓	听觉能力

225

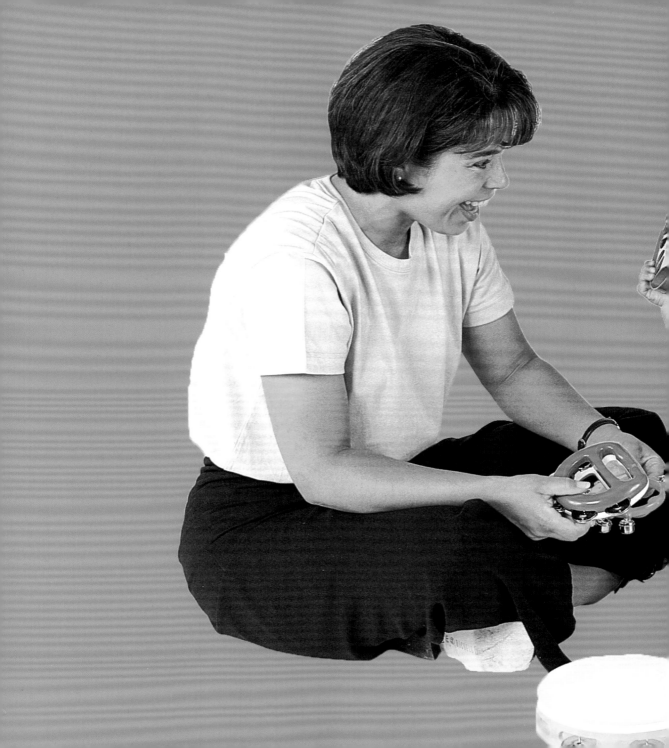

18 个月及以上

纸积木

搭积木，盖大楼

技能点睛

积木游戏能锻炼宝宝的精细动作能力，提高他们分辨大小和形状的能力。孩子大多喜欢搭积木，之后再将其推倒，这能训练他们的平衡能力，让他们明白原因和结果之间的关系。如果宝宝在自己搭建的城堡或洞窟里留出了一片只容得下他自己的空间，这说明他的自我意识正在日渐形成。

理解因果关系	✓
精细动作能力	✓
解决问题的能力	✓
分辨大小和形状的能力	✓
空间意识	✓

这个年龄段的宝宝手还很小，面对较为笨重的木制积木还无能为力。但是，家长可以自己动手，用纸袋和牛奶盒等物制作一些又大又轻的积木。这样宝宝就可以轻松玩转积木，同时家长也不必担心积木会伤到宝宝。

● 做大的纸积木时，只要把报纸揉成团，塞进购物袋或纸箱，然后像包装礼物那样把袋口或箱口封好。和宝宝一起装点这些超大的积木块，你可以使用能擦涂的记号笔、蜡笔、包装纸或贴纸等。

● 做小的纸积木时，可以用彩色的包装纸将牛奶盒包起来，还可以将纸表面画成砖块的样子（这样就能盖"砖房子"喽）。

● 接下来轮到你家的"小建筑师"上阵了。鼓励他把积木垒得越高越好，或者用积木搭建一座城堡。让宝宝充分利用家里的沙发、桌子和床单，将它们当成城堡的"墙"和"屋顶"等。

● 你还可以给宝宝演示怎样把小积木放在大积木上，搭出一个和他一般高的积木塔。拆塔的时候，家长和宝宝要逐个轮流取下积木，一边取一边大声数数。鼓励宝宝和你一起建造更多的"工程"。

◀ 如果宝宝喜欢这个游戏，家长可以让他再试试第212页的游戏"纸板城堡"。

"积木垒高高！"

纸积木有助于你家的"小建筑师"学习怎样垒放物品，增强他对大小、形状和平衡的认知。

方寸之间有智慧

正确地套叠杯盆

技能点睛

　　嵌套游戏有助于开发宝宝的大脑、锻炼宝宝的双手，帮助他学习辨认不同的尺寸，培养其解决问题的能力（"我怎样才能把这些东西放在一起呢？"），提高其手眼协调能力和精细动作能力。家长和宝宝之间的互动也非常重要：家长一边说一边演示，宝宝一边听一边模仿。

手眼协调能力	✓
精细动作能力	✓
解决问题的能力	✓
分辨大小和形状的能力	✓

对宝宝来说，从容器中取出物体再放回去，是一件乐趣无穷的事情。现在家长可增加点儿难度和趣味——让宝宝试试嵌套物品，也就是说，宝宝要按一定的顺序将物品叠放在一起。

● 你可以在玩具店买到这种嵌套容器，也可以使用大小不同的杯子、碗、盆或硬纸盒，效果是一样的。

● 一些宝宝的手还不够灵活，不能灵巧地把物品叠放或分开，这时家长要有耐心，学会循序渐进。一开始，使用两三个规格差异较大的容器，向宝宝示范它们是如何嵌套在一起的。你可能需要多演示几遍，慢慢地宝宝会和你一起玩，用不了多久他就能自己叠放物品了。

● 一旦宝宝能够熟练地把少量的几个杯子或碗放好，你就可以逐渐增加嵌套物品的数量。

"这些碗能放在一起吗？"炊具亮闪闪，宝宝真好奇。家长在满足宝宝好奇心的同时，也不要错过这个让宝宝认知的好机会——教他分辨物体的大小和形状等。

研究报告

宝宝能够按照大小和形状对杯子和碗进行分类，是她初步具备逻辑推理能力的标志。看到宝宝掌握了"相同"与"不同"这对既简单又重要的逻辑概念后，家长一定非常高兴。但是我们要知道，宝宝距离熟悉高级的逻辑思维能力还有很长的路要走。美国加利福尼亚大学伯克利分校的心理学专家乔纳斯·兰格指出，孩子的逻辑思维能力在 4 ~ 8 岁之间会有较大飞跃，但直到 11 岁左右才能真正理解抽象的概念。

捂住你的眼睛

唱歌捉迷藏

"Hide Your Eyes"（捂住你的眼睛）

 "The Farmer in the Dell"
（山中农夫）

Can you hide your eyes,	你能捂住眼睛吗，
can you hide your eyes?	你能捂住眼睛吗？
Yes you can, you surely can,	当然能，肯定能，
you can hide your eyes.	你能捂住眼睛。
	（双手捂住眼睛。）
Can you hide your nose,	你能捂住鼻子吗，
can you hide your nose?	你能捂住鼻子吗？
Yes you can, you surely can,	当然能，肯定能，
you can hide your nose.	你能捂住鼻子。
	（双手捂住鼻子。）
Can you hide your feet,	你能捂住脚丫吗，
can you hide your feet?	你能捂住脚丫吗？
Yes you can, you surely can,	当然能，肯定能，
you can hide your feet.	你能捂住脚丫。
	（双手捂住脚。）

接着捂住下巴(chin)、膝盖(knees)、
脚趾 (toes)、 眉毛 (eyebrows)、
耳朵 (ears) 等部位。

身体感知能力	✓
创造性动作	✓
语言发展	✓

这个跟唱游戏要配合宝宝最爱的游戏——捉迷藏，宝宝在唱歌的同时能认识相应的身体部位。这样一来，宝宝不但可以学到很多有关身体部位的名称，而且练习了跟唱。

● 刚开始唱这首歌时，要使用一些简单的身体词汇，如眼睛、鼻子、脚以及脚趾。然后慢慢扩大到宝宝比较陌生的词，如胳膊肘、膝盖、下巴、脖子等。

● 偶尔制造几个"错误"，看看宝宝能不能发现。比如，唱到"脚趾"时却捂着你的膝盖，或者捂住宝宝的膝盖。宝宝一定会被这些"愚蠢的错误"逗得哈哈大笑。

旧歌换新词，让宝宝
唱歌游戏两不误。

宝贝，摇起来！

声音试验

如果你想让宝宝接触新的声音和节拍，不妨让她试试儿童沙槌等打击乐器（大多数玩具店有售）。当然，你也可以选择自己制作"乐器"：把大米、干豆子或硬币分别装进塑料瓶（拧紧瓶盖并用胶带封好瓶口，以防发生意外）。摇一摇每个瓶子，然后交给宝宝，给她讲一讲每种"乐器"发出的独特声音。播放几首节奏不同的儿歌，鼓励宝宝随着节拍摇晃手里的"乐器"，同时还要随着旋律扭动身体。

技能点睛

用乐器做游戏能刺激宝宝的听觉反应，培养她的节奏感，这是开发宝宝语言能力的基础。让宝宝辨别不同的声音能让她学着用不同的音调和音量说话或唱歌，而舞蹈、摇摆和演奏乐器还能激发宝宝的创造力。如果你打算自制沙槌，可以先让宝宝摸摸大米、豆子和硬币，再将其封进塑料瓶，这样可以刺激她的触觉（不过要千万小心，别让宝宝吞食这些东西）。

✓ 创造性动作
✓ 听觉能力
✓ 节奏感
✓ 感官探索

想让宝宝动起来吗？只需要一件手工制作的乐器和一首好歌就够啦！

233

沙滩游戏

沙土上作画

技能点睛

对宝宝的艺术探索之路来说，沙子是绝好的材料，因为宝宝可以和沙子来个亲密接触。抓起一把沙子再撒开或者借助工具玩沙子，都能训练宝宝的精细动作能力，刺激他的触觉发展。

创意表达	✓
精细动作能力	✓
触觉刺激	✓

沙画师可以用沙子作画，推土机司机可以用推土机在沙子上碾出各种图案，这些我们的宝宝也一样办得到。无论是在沙滩、操场，还是你家后院的沙坑里，用沙子做游戏都是吸引人的、富于创造性的、有趣的，它将艺术和户外运动完美地结合在了一起。

● 准备一些适合宝宝使用的工具，包括沙土玩具（塑料小桶、铲子和模具）、厨具（锅铲、木勺和塑料容器），以及园艺用具（喷壶、小耙子）。

● 往沙子上洒些水，使其更容易成形，这样做模型就会更容易。

● 向宝宝演示怎样使用工具绘制图案。比如，可以拖着小耙子在沙子上走，在上面画出一道道或直或弯的线；用平底锅在沙子上扣出一个大大的圆圈；还可以用空酸奶盒和潮湿的沙子堆出城堡或者小塔。

● 让宝宝观察你的动作：只要双手在沙地上一抹或者往沙地上倒些水，你的"杰作"就不见踪影了。接着让宝宝自己试试擦掉沙土上的图案，重新创作新的图案或搭建新的建筑，这样他想玩多少次都可以。

如果宝宝喜欢这个游戏，家长可以让他再试试第251页的游戏"大自然的艺术"。▶

宝宝大多喜欢玩沙，你可以演示如何用玩具和厨具在沙地上创作，带给宝宝更多的欢乐。

照片的乐趣

看图识人

技能点睛

通过倾听大人的话语，宝宝可以掌握一些简单的语法规则。但仅靠听，她无法知道比尔表哥是谁，也想不出鸵鸟长什么样，她需要借助照片或图片把相应的名称和所指的人或物对应起来。这个游戏旨在拓展宝宝的词汇量，进而帮助她分类记忆事物，学会与人共享记忆。

巧手课堂

将照片或图片贴在扑克牌或者索引卡上。为防止宝宝撕破卡片，可以去照片冲洗店或装裱铺对卡片进行压膜处理。如果要将照片或图片悬挂起来，最好使用胶带或大块的磁铁，不要使用图钉和小块的磁铁。

语言发展	✓
视觉分辨能力	✓
视觉记忆	✓

看上去宝宝对生活的认识似乎仅仅停留在"待在这儿"或者"现在就给我"上，然而事实上早在宝宝6个月大的时候，她的大脑就已经能储存和检索记忆了。现在是你训练她记住并说出周围的人和事物名称的时候了。这种游戏是一种不失乐趣的记忆练习方式。

● 将家人和朋友的照片贴在索引卡上（这样宝宝能更容易地将照片拿起来），指着照片里的某个人，对着宝宝说出他／她的名字。要不了多久，宝宝就能脱口而出这些人的名字了，甚至比你还快呢。

● 把照片贴到彩色卡片纸上，制成个性化的托垫。

● 从杂志上剪下图片制作成卡片，卡片上应当是一些宝宝还没有见过的东西，比如食蚁兽、长颈鹿或者直升机。把卡片挂在与宝宝眼睛齐高的地方（如冰箱上），时不时告诉她这些是什么并指给她看。

● 给每一张图片编个小故事，帮助宝宝记忆。你可以这样讲："这是我们和奶奶一起做的蛋糕，对吗？"或者"罗伯家养了一条大狗，是不是啊？"这可以让宝宝知道该如何讲故事，也能让她知道人们都喜欢听故事，而且还可以帮助宝宝对熟悉的事情进行分析。

"卢克叔叔在哪里？"

通过熟悉的面孔和有趣的图片充实宝宝的世界，帮助她增强记忆力。

237

音乐的魔力

人类对音乐的热爱具有很大的普遍性，具有不同文化背景的父母都会将这种天赋赋予他们的孩子。宝宝会伴着父母哼唱的摇篮曲进入梦乡、会和着父母的拍手声摇摇晃晃地迈出人生的第一步、会和父母在儿歌游戏中度过一段又一段的欢乐时光。音乐对宝宝来说可谓益处良多，最新的研究表明，让宝宝接触音乐不仅能培养他们的节奏感，而且对他们的智力发育也有深远的影响（第283页提及的广为人知的莫扎特效应就证明了这一点）。美国哈佛大学医学院的神经科学家马克·特雷莫称，人脑处理音乐的功能，也是语言、数学和逻辑思维发展所需的。他认为，通过音乐训练大脑，可以提高宝宝的认知能力。包括美国佐治亚州州长在内的许多人都非常认同这一观点，州长甚至决定，每一位在佐治亚州出生的宝宝都可以免费获得一张医院赠送的古典音乐光盘。

从第222页的录有亲子"二重唱"的磁带到第254页的打击乐游戏，本书提供的游戏方法既简单易学又不失趣味，让你能借助音乐丰富宝宝的世界。这些游戏和音乐融合在了一起，可以使宝宝轻松掌握语言和节奏，发展其协调能力，增强其身体感知能力。游戏之余你还可以让宝宝接触不同类型的音乐，作为某些活动的补充——无论你在开车、吃饭、做家务还是工作，都不要忘记播放音乐——这将进一步强化宝宝的听觉能力，拓宽她的音乐视野。如果古典音乐非你所爱，不必勉强为之；选择你喜欢的音乐放给宝宝，当你沉浸在其中时，你的宝宝也能更深刻地感受到音乐的魅力、感悟到音乐的精妙所在。

18个月 1½ 及以上

手鼓声声

摇出美妙音乐

手鼓声可以愉悦宝宝的耳朵，而演奏手鼓又可以锻炼宝宝的胳膊、手指、脚趾以及身体的其他部位。给宝宝一个手鼓，让他伴着喜欢的歌曲尽情摇、尽情拍或者让他给你伴奏——如果你弹奏乐器，就让宝宝围着你边转圈边摇手鼓。试试不同型号的手鼓：大手鼓和小手鼓的声音有何不同？用力摇和轻轻摇声音有何变化？你和孩子会为彼此的音乐发现备感兴奋。

技能点睛

　　一些简单的乐器可以衍生出丰富多样的音乐游戏，这些游戏能够刺激并增强宝宝的听觉和触觉。宝宝能在游戏中学习区分不同的旋律和声音。手鼓既能拍也能摇，可以强化宝宝已有的认知——这个世界充满了独特而又多样的声音，他们不仅可以发现声音，还能自己创造声音。

✓	手眼协调能力
✓	听觉能力
✓	节奏感
✓	社交能力

敲击手鼓会发出嘭嘭嘭的声音，摇晃手鼓会发出叮叮当当的声音，宝宝可以从敲击、摇晃手鼓游戏中学到很多。

239

蜡笔画出新世界

恢宏的画作

技能点晴

使用画笔作画可以增强孩子的精细动作能力和手眼协调能力，同时让他学会辨别颜色。更重要的是，通过选择颜色赋予孩子自由表达的权利，他喜欢什么颜色就用什么颜色、想怎么画就怎么画，这将给他尚处在萌芽阶段的自我意识注入色彩和形状的概念。一边画画一边和宝宝交流，能加深他对某些概念的认知，提高他的交流能力。

认知发展	✓
精细动作能力	✓
社交能力	✓
视觉记忆	✓

即使你的宝宝只有 18 个月大，他也一定喜欢拿起笔涂涂画画。不过，他未必能控制好画笔，也不知道不能画到纸张外边。与其让宝宝用标准信封大小的纸张作画束缚他的想象力，不如让他展开艺术的翅膀尽情翱翔——让宝宝在尽可能大的画纸上绘制画作。

● 在地上清理出一块较大的空间，然后贴几张大大的画纸。坐在宝宝身边，递给他几支蜡笔或水彩笔，鼓励他在纸上随便画。一开始，你也许得手把手地教他，可是他一旦画起来，就停不下来了。

● 和宝宝边画边聊。告诉他手里的蜡笔是什么颜色的，引导他尽可能使用不同的颜色。无论他画的是什么，你都要表扬他。

● 对大一点儿的宝宝，你可以让他描述所画的东西。比如，你发现宝宝试图画出一个圆形，你就可以告诉他皮球就是圆形的。不要急于帮他画出一个标准的圆。也许你眼前的纸上不过是一些扭扭歪歪的线条，但对宝宝来说，这可是自己的杰作。

如果宝宝喜欢这个游戏，家长可以让他再试试第309页的游戏"橡皮泥大师"。▶

画笔要大，好让"未来的画家"更容易握住。瞧，他已经有喜欢的颜色啦！

241

跟我数

宝总是喜欢在家长的腿上蹦蹦跳跳，听家长唱歌。强调数数的儿歌会增加宝宝的学习兴趣。尽管宝宝看上去只是在听你唱，但其实她已经开始识数了。如前所述，重复能巩固学习效果、强化宝宝的记忆，唱歌亦是如此。

Five Little Pumpkins（五个小南瓜）

Five little pumpkins
sitting on a gate.

五个小南瓜
坐在大门上。
（伸出五根手指再握拳。）

The first one said,
"Oh my, it's getting late."

第一个说：
" 天啊！天黑了！ "
（伸出一根手指，指指天空。）

The second one said,
"There are witches in the air."

第二个说：
" 天空中有女巫。"
（伸出第二根手指，装作害怕。）

The third one said,
"But we don't care!"

第三个说：
" 我们才不在乎！ "
（伸出第三根手指，摆摆手。）

The fourth one said,
"Let's run and run and run."

第四个说：
" 我们快跑吧。"
（伸出第四根手指，做跑步状。）

The fifth one said,
"We're ready for some fun!"

第五个说：
" 我们来玩吧。"
（伸出第五根手指，拥抱宝宝。）

Then OOOhh went the wind,
and out went the lights.
And the five little pumpkins
rolled out of sight.

呜呜呜，刮风了，
灯灭了，
五个小南瓜，
看不见了。

让孩子轻轻松松学数数。

Five Little Monkeys（五只小猴）

Five little monkeys jumping on the bed,	五只小猴床上跳，
one fell off and bumped his head.	一只摔下撞到头，
Momma called the doctor	妈妈给医生打电话，
and the doctor said,	医生说：
"No more monkeys jumping on the bed!"	"不要再让小猴子在床上跳。"
Four little monkeys jumping on the bed,	四只小猴床上跳，
one fell off and she bumped her head.	一只摔下撞到头，
Momma called the doctor	妈妈给医生打电话，
and the doctor said,	医生说：
"No more monkeys jumping on the bed!"	"不要再让小猴子在床上跳。"
Three little monkeys jumping on the bed,	三只小猴床上跳，
one fell off and he bumped his head.	一只摔下撞到头，
Momma called the doctor	妈妈给医生打电话，
and the doctor said,	医生说：
"No more monkeys jumping on the bed!"	"不要再让小猴子在床上跳。"
Two …	两只 ……
One…	一只 ……
No little monkeys jumping on the bed,	没有小猴在床上跳，
none fell off and bumped their heads.	没有猴子摔下撞到头。
Momma called the doctor and the doctor said,	妈妈给医生打电话，医生说：
"Put those monkeys back to bed!"	"让小猴子睡觉吧。"

12345 Once I Caught a Fish Alive（我捉了一条鱼）

One, two, three, four, five,	1、2、3、4、5，
	（逐次伸出五根手指。）
once I caught a fish alive.	我曾活捉一条鱼。
	（抓住宝宝的一只手。）
Six, seven, eight, nine, ten,	6、7、8、9、10
	（再伸出五根手指。）
then I threw it back again.	我又把它放回去。
	（放开宝宝的手。）
Why did you let it go?	为什么你要放它走？
Because it bit my finger so.	因为它咬我的手指头。
Which finger did it bite?	咬的是哪根手指头？
This little finger on my right.	我右手的小指头。
	（伸出右手的小指。）

243

"爸爸在哪里？"
"爸爸在这儿呢！"
捉迷藏是一个令人兴奋的游戏，它既能激发宝宝的好奇心，也能减少宝宝的分离焦虑。

捉迷藏

循声找人

当宝宝还是婴儿的时候，他看到你把脸一遮一露地逗他玩会非常高兴。等他长大后，就会躲在墙角趁你毫无防范的时候冷不丁地大叫一声，吓你一跳。捉迷藏就是专门为处在这个年龄段的宝宝量身设计的游戏。

● 趁孩子的注意力没在你的身上时，你可以在附近找一棵树、一把椅子或者一面墙，躲到后面。然后冲宝宝大喊一声："我藏起来啦，快来找我啊！"当宝宝四处寻找你的时候，你要不断用声音引导他向你靠近。要不了多久，他就能学会顺着声音寻找你，发现你的手、腿和肩膀，直到重新看到你灿烂的笑脸。这时候，给他一个热情的拥抱以示祝贺，然后再玩一次。

● 让宝宝藏起来，由家长来找。宝宝十有八九会只顾着藏起脑袋，却忘了腿还露在床外或者小手还抓着毛毯。不过你得假装没有看见，等一会儿"无意间"找到他时还要表现得很惊讶。

技能点睛

顺着声音的方向寻找声源，比如爸爸的声音，能锻炼宝宝的听力。当宝宝发现，借助你没有藏起来的某个身体部位——无论是肩膀还是脚，就可以找到你时，他的视觉记忆将会得到增强。

✓	认知发展
✓	听觉能力
✓	社交能力
✓	视觉分辨能力
✓	视觉记忆

如果宝宝喜欢这个游戏，家长可以让他再试试第311页的游戏"神秘的声音"。 ▶

18个月·及以上

1½

麦圈挑战赛

倒出瓶里的东西

技能点睛

这个看似简单的游戏可以培养宝宝解决问题的能力，帮助她直观地认识"里"和"外"的概念和事物的因果关系。一旦宝宝掌握了这个游戏，你就要提高标准，教她玩另外一种视觉游戏：准备3个不透明的容器（如酸奶盒），在其中一个容器里放入1个麦圈，再将3个容器混在一起，让孩子找到装有麦圈的那个容器（参见第301页的游戏"魔术杯"）。

理解因果关系	✓
认知发展	✓
精细动作能力	✓
解决问题的能力	✓

准备一个干净的小口瓶（塑料奶瓶即可），将宝宝最爱吃的早餐麦圈或零食放入瓶中，拿给宝宝看瓶中的麦圈，让她想办法取出来。可以先让她自己试试，不过一旦宝宝屡试屡败，情绪变得急躁的话，就要向她演示如何把杯子倒过来。为了增加游戏的难度，可以轻轻拧上瓶盖或者要求宝宝把麦圈倒出后再放回瓶中。换不同形状的容器重复此游戏，这样可以训练宝宝的精细动作能力。

瓶子大反转！没有比零食更能激励你家小天才的东西了。你只需在一旁观看，要知道，她学得快着呢！

形状搭配

为问题解谜

不同的图形分别对应哪个位置呢？小宝宝都很喜欢图形解谜游戏，在家长的帮助下宝宝在游戏过程中能够轻松找到问题的答案。准备一个形状轮玩具，你也可以找些硬纸盒，在其侧面和顶部剪出三四个简单的图形。（确保所有的图形大小相当，以免因尺寸不一出现混乱，比如三角形能通过圆形的孔）让宝宝把图形放入对应的孔中。你先演示如何操作，然后让宝宝亲自动手。

这个游戏不仅能帮助宝宝熟悉几何图形，还能培养她解决问题的能力。

技能点睛

学会分类、辨别大小和形状是一项基本技能，这不仅能够帮助宝宝认识世界，还能为她今后在游戏小组、夏令营和幼儿园里可能参加的活动做准备。宝宝在游戏时必须动手操作，这可以促进其精细动作能力和手眼协调能力的发展，有助于宝宝学习使用叉子、汤匙和各种玩具。也许宝宝得练习一段时间才能很好地区分各种形状，但大多数这个年龄段的孩子都乐此不疲。

✓	分类技能
✓	手眼协调能力
✓	精细动作能力
✓	分辨大小和形状的能力

247

指指看

认识不同的身体部位

技能点睛

认识并重复说出某个身体部位的名称，对宝宝语言能力的发展起着重要作用。这样宝宝不但知道鼻子在哪儿，还能将其与"鼻子"一词联系起来。此外，摸鼻子、用鼻子呼吸，还能带给她直观的体验，这会增强她对身体各部位的认识。

认识身体部位是孩子建立独立的自我意识的第一步。宝宝会在1岁左右开始认识自我，1岁之后这一过程会加快。这个简单的游戏有助于宝宝认识自我，还能锻炼宝宝的记忆力、语言能力，增强其身体感知能力。

● 游戏开始时，家长要与宝宝相向而坐，摸摸她的鼻子。然后拉着宝宝的手指，点点你的鼻子，同时要多说几遍"鼻子"。接着让她指指自己的鼻子。之后以同样的方法指出身体的其他部位，如头、胳膊、腿和脚。刚开始，她不能很快分辨出"妈妈的鼻子"和"宝宝的鼻子"，但这一状况很快就会发生改变。这个游戏一定会成为她非常喜欢的游戏，因为此游戏会带给她成就感。

● 如果她能说出某几个身体部位的名称，你就可以指着相应的身体部位让宝宝说。你也可以自己设计一个动作游戏，给她演示如何摇头、跺脚、用鼻子吸气，以及晃动她的小脚趾。

身体感知能力	✓
认知发展	✓
语言发展	✓
听觉能力	✓

◀ 如果宝宝喜欢这个游戏，家长可以让她再试试第232页的游戏"捂住你的眼睛"。

分清妈妈的头发和自己的嘴巴，是
宝宝成长路上的重要一步，她会为
此感到骄傲。下一步，给她讲讲为
什么她的手小而妈妈的手大。

"瞧这朵花!"

后院里散落的花草、树叶、枝条是大自然赐予我们的宝藏,采摘、分辨这些花花草草,能够培养宝宝在户外活动的兴趣。

大自然的艺术

制作自然拼贴画

宝宝喜欢户外活动，喜欢收集，喜欢涂涂画画——想必你已经注意到了，她会在早餐桌上用手指蘸着燕麦粥画画，也许你还看到了她绘制的蜡笔壁画。现在，你可以和她一起制作极具自然风格的拼贴画——将艺术创作、亲近自然的户外活动和收集爱好融合在一起，增强宝宝的兴趣。

● 带宝宝到后院、公园或树林里散步，收集些树叶、花草、枝条、羽毛以及任何她喜欢的东西（但必须是安全的）。

● 一边散步一边和宝宝聊聊你们的发现，教她一些新的概念和表达方式（"看到这根羽毛了吗？这是小麻雀的羽毛。"或"瞧，花儿都朝着太阳开放。"）。

● 回家后，取出一张一面有黏性的纸（如装饰贴纸），将其胶面朝上放入烘焙糕点的烤盘里。用胶带把纸的四个角固定在烤盘上，防止纸黏住手。

● 和宝宝一起把收集到的东西摆在黏性纸上。

● 还可以在拼贴画表面粘一张透明的薄塑料来保护宝宝的作品。

● 把拼贴画挂在窗户上、冰箱上或者宝宝的房间里……任何她可以骄傲地展示作品的地方都是不错的选择。

技能点睛

制作拼贴画时，要让宝宝自由选择（比如，选择红色的花还是黄色的花）、自己摆放，这有助于她发现并表达个人的喜好。在户外收集材料时，多和她聊聊大自然，这有助于宝宝认识世界、描述世界。把收集来的材料摆放在黏性纸上的过程，可以增强宝宝的精细动作能力。

✓	创意表达
✓	手眼协调能力
✓	精细动作能力
✓	语言发展

如果宝宝喜欢这个游戏，家长可以让她再试试第267页的游戏"和树聊聊天"。▶

我们一起来浇水

边听音乐边模仿

"Water the Plants"
（我们一起来浇水）

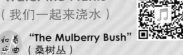

和着
乐曲 **"The Mulberry Bush"**
（桑树丛）

This is the way we water the plants,	我们一起 给花草浇水，
	（一只手叉腰，另一只手向 外弯曲，模仿水壶的壶嘴。）
water the plants, water the plants.	给花草浇水， 给花草浇水。
This is the way we water the plants whenever they get dry.	我们一起 给花草浇水， 在花草干了时。
We water the plants so they will grow,	给花草浇水， 让它成长， （弯腰卧在地上，再慢慢 直起身子。）
they will grow, they will grow. We water the plants so they will grow way up to the sky.	让它成长， 让它成长。 给花草浇水， 让它成长， 向着天空快成长。 （双臂向上，象征高高的 大树。）

| 平衡能力 | ✔ |
| 协调性 | ✔ |

这首园艺儿歌能教给小宝宝一条大自然的基本法则：植物生长离不开水！游戏时身体朝一边倾斜，模仿水壶倒水，这是一个训练平衡能力的好方法。如果宝宝好动，你不妨把他抱起来当水壶。不管在室内还是户外，都可以让孩子替你给真正的植物浇水，这可以巩固他所学的园艺知识。帮家长做家务（参见第353页的游戏"有样学样"）、养真的植物或动物也会成为孩子的乐趣所在。

摆出水壶浇水时的样子可以帮助孩子更好地理解水使植物生长的道理。

惊喜！

拆开礼物的包装纸

对宝宝来说，礼物的包装纸同礼物本身一样有趣。他们喜欢鲜亮的彩色包装纸，喜欢揉搓包装纸时发出的声响，喜欢探索包装纸里未知物品带给他们的惊喜。这个游戏完全不受时间和季节的限制，你随时可以当着宝宝的面用彩色包装纸把他喜欢的玩具包起来（不要贴胶带）。

　　每次只给他看一个包裹，问他"里面包的是什么？"鼓励宝宝自己拆开包装。如果他因打不开包装而情绪急躁，你可以帮他一把。把包装纸揉成一团，和宝宝交流一下包装纸发出的声音，并说说包装纸的手感。

技能点睛

　　要拆开包装纸需要宝宝想办法，而且还要求他的手指很灵巧。接触不同图案和质感的包装纸可以刺激宝宝的视觉、触觉和听觉，尤其是在他揉搓或撕裂包装纸的时候。

✓	协调性
✓	解决问题的能力
✓	感官探索
✓	触觉分辨能力

在"生日聚会"之类的游戏中，拆开礼物的包装本身就已经充满了乐趣。

253

明快的节奏

敲起鼓来

技能点睛

宝宝的节奏感与生俱来。但是让她学习敲鼓，尤其是和家长一起练习，会让她明白怎样才能使其与音乐、舞蹈等节奏感较强的活动更好地配合。敲鼓可以提高她的手眼协调能力，学习变换敲击的速度和音量还能强化她的肌肉控制能力。

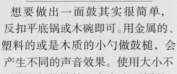

巧手课堂

想要做出一面鼓其实很简单，反扣平底锅或木碗即可。用金属的、塑料的或是木质的小勺做鼓槌，会产生不同的声音效果。使用大小不同的容器做鼓，会产生不同的音调（容器越小，音调越高）。

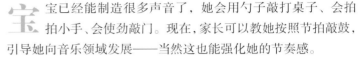

宝宝已经能制造很多声音了，她会用勺子敲打桌子、会拍拍小手、会使劲敲门。现在，家长可以教她按照节拍敲鼓，引导她向音乐领域发展——当然这也能强化她的节奏感。

● 你既可以选择购买鼓和鼓槌，也可以自己动手制作。坐在宝宝身边，教她如何用鼓槌或小手敲鼓。先轻轻敲，再使劲敲。速度要时快时慢，这样就能让她体会到节奏的快慢变化。

● 播放欢快的音乐，演示如何使鼓声与之配合。切忌不切实际地期望她的操作精准无误，毕竟她还太小。随着节奏摇摆身体、跺脚、拍手或摆头，告诉她表现旋律的方式不止一种。你也可以拿起鼓槌，和宝宝来一段疯狂的二重奏。

理解因果关系	✓
创意表达	✓
听觉能力	✓
节奏感	✓

◀ 如果宝宝喜欢这个游戏，家长可以让她再试试第233页的游戏"宝贝，摇起来！"。

为你家的小鼓手演示一下
不同的鼓声，接着就放手
由她去探索吧。

"敲击乐来喽喽喽！"

255

玩具大游行

玩具新玩法

技能点睛

游行表演开始了，让宝宝把自己想象成游行表演的开路人，爸爸妈妈和玩具此刻都变成了参加游行表演的演员。踏着音乐的节拍昂首前进，可以培养宝宝的节奏感。同时，宝宝必须带领身后的"游行队伍"前进，这能提高她身体的协调能力。

创意表达	✓
精细动作能力	✓
大运动能力	✓

每个人都喜欢看游行表演，但你不必非等到过节的时候，不必抱着宝宝挤进拥挤的人群中也能让宝宝参与其中。你可以在家里举办一次小规模的游行表演——有音乐助兴、有名人出席（虽然是一些毛茸茸的家伙），还有主持人……一切应有尽有。而你的宝宝就是游行表演的最高指挥官。

● 把所有带轮子的玩具集中在"广场"上（比如你家的客厅）。用短绳将玩具连接在一起，以便宝宝能拉着这些玩具四处行走。如果家里有玩具马车，可以在车上放几个毛绒玩具充当名人。为了使游行表演更精彩、更气派，还可以为玩具装饰上横幅和彩带，甚至可以撒些彩色纸屑做点缀。

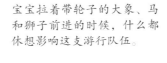

宝宝拉着带轮子的大象、马和狮子前进的时候，什么都休想影响这支游行队伍。

● 等宝宝长大一些，你可以为游行表演配以欢快的进行曲，挥舞着指挥棒或敲着鼓（只需一个锅加一把勺子即可），和孩子排成一队开始游行表演。一开始，宝宝也许只顾大步向前却忘了牵玩具，或者是只顾牵着玩具却忘了迈步前进，这时你得帮她拉着"游行队伍"，好让宝宝挥起小胳膊，昂首阔步向前走。

研究报告

心理学家安东尼·佩莱格里尼和彼得·K．史密斯在英国和美国进行的研究表明，孩子生下来就明白游戏和自由活动的重要性。他们表示，一旦孩子自由玩耍的天性在一段时间内受到限制，那么"被剥夺的权利一旦恢复，玩耍的程度和强度就会更高"。换言之，限制取消后，宝宝会试图弥补之前失去的游戏时间。

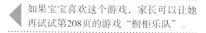

如果宝宝喜欢这个游戏，家长可以让她再试试第208页的游戏"橱柜乐队"。

257

儿童世界

如果你是一对一地跟宝宝玩，往往很容易满足他的要求和愿望。但是如果又多了一个小家伙的话，情况就会有所变化。这时家长必须更富有想象力，想出更多花样才行。

有诸多因素会使情况变得复杂，比如宝宝通常不愿意和别人分享父母的关心，即便是自己的兄弟姐妹也不行。如果孩子们之间的年龄相差超过2岁，家长想找到一个适合宝宝们一起玩的游戏会很不容易！比如，妹妹很文静，喜欢独自玩积木；而活泼好动的姐姐偏要帮她搭积木塔，然后再推倒。难怪和宝宝们一起玩的时候，你会觉得自己好像并没有参与到游戏中，而更像是一名裁判，置身于一场颇为激烈的"世界搏斗联赛"的比赛当中。

其实，想要让游戏进行得更顺利、更有趣，还是有很多办法的。首先，考虑一下孩子的年龄和性格差异，然后想出一些既能吸引她们，又能满足她们不同需求的游戏。比如，拿着粉笔或者画笔涂涂画画之类的游戏，是幼儿和学龄前儿童都会喜欢的。带上各种玩具去操场，让孩子们一起玩一会儿，然后让她们按照各自的兴趣独自玩耍。有条件的话，请别忘记准备两套完全一样的玩具——2盒水彩颜料和2个彩球，以免孩子之间闹矛盾从而让父母手足无措。其次，对待孩子要尽量平等，这一点也很重要。尽管我们应该多关心年纪小的孩子，因为她可能更需要帮助，但千万不要忘了夸奖或鼓励年纪大一点儿的孩子。

神投手

投篮游戏

准备几个大小适中的皮球，然后把它们放在较大的容器里，如洗衣篮、硬纸盒、塑料盆。给宝宝演示如何把球倒在地上，再一个个放回容器里，这对宝宝来说已经很有意思了。一旦他熟练掌握了这个游戏，就让他退到远处，试着把球投入容器中。你可以在房间里摆放若干个容器，鼓励宝宝每次将球投到不同的容器内。

技能点睛

　　练习投篮能提高宝宝的手眼协调能力和大运动能力。宝宝每投进一球，家长就要大声报数，这样能帮助他理解数字的概念。无论球投入了篮中还是击中了你，你都要积极地配合，把球轻轻地扔回给宝宝，鼓励他练习另一项基础技能——接球。

要训练"小球员"的手眼协调能力与运动技能，只需一个皮球和一个"篮筐"，当然一位热心的教练也是必不可少的。

✓	**手眼协调能力**
✓	**大运动能力**
✓	**社交能力**

259

高贵的约克公爵

经典儿歌和模仿

技能点睛

宝宝的空间存在感一天比一天清晰。和爸爸妈妈玩这个儿歌游戏的同时，宝宝还能学习一些方位名词，如"上"和"下"。即使你的宝宝太小，还无法分辨左右，可他至少知道这些词语指的是其他方位而非正前方。

认知发展	✓
语言发展	✓
空间意识	✓

宝宝对空间和运动概念的理解虽然很慢，但一直都在进行。如果宝宝从小就喜欢坐在父母腿上听歌或唱歌，那么类似这种复杂的儿歌会带给他更多的乐趣。

● 做儿歌游戏时，家长的发音要清晰、动作要明显，这有利于宝宝学习重点词汇，同时也会令儿歌听上去更加生动有趣，这样才能充分调动你和宝宝的积极性。

● 等宝宝再大一些，就可以让他站在地上唱歌，而不是坐在你的腿上。演唱时可以配合不同的动作，比如在唱第一节时，要大踏步前进；唱第二节时先向上伸展身体，再向下屈体；唱第三节时，让宝宝仰面躺在地板上，然后家长轻轻地把他的腿往左抬、往右抬、往上抬。

如果宝宝喜欢这个游戏，家长可以让他再试试第264页的游戏"来到火车站"。

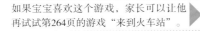

18个月
1½
及以上

有趣的儿歌配上妈妈欢快的起伏动作，有助于宝宝了解上下运动的感觉。

"The Noble Duke of York"（高贵的约克公爵）

Oh, the noble Duke of York,　　高贵的约克公爵，

he had ten thousand men,　　手下有人马一万，
（让宝宝背对你坐在你的腿上，然后你要上下颠腿。）

he marched them up to the top of the hill,　　他让大家登上山顶，
（抬起双腿。）

and he marched them down again.　　然后又下山。
（放下腿。）

Now when you're up, you're up.　　上山就上山。
（抬起双腿。）

And when you're down, you're down.　　下山就下山。
（放下双腿。）

And when you're only halfway up,　　如果处在半山腰，
（双腿抬到之前一半的高度，保持不动。）

you're neither up nor down.　　那就不上也不下。
（快速抬起腿，再迅速放下，记住动作要快。）

He rolled them over left,　　他让大家滚向左边，
（身体倒向左侧。）

he rolled them over right,　　他让大家滚向右边，
（身体倒向右侧。）

he rolled them over upside down,　　最后乱成一锅粥，
（躺下，让孩子躺在你身上。）

oh, what a funny sight!　　哈哈哈，真好玩！
（恢复最初的姿势。）

261

管子里的秘密

球到哪儿去了？

技能点睛

即使是 18 个月大的宝宝，也会迷恋这个游戏——仅仅是看着球消失，也会乐在其中。但这并不是本游戏的全部乐趣。把球放进管子里再将其接住（或者追着球跑），可以提高宝宝的精细动作能力与手眼协调能力。在管子的两端轮流放球、接球，能促进宝宝的参与意识和分享意识。而把大小不同的球放进管子里，能帮宝宝分辨物体的大小。

理解因果关系	✓
精细动作能力	✓
分辨大小和形状的能力	✓

巧手课堂

家长可以在五金店、模型商店等店铺买到长度、直径不等的管子。只要能放进管子里，所有质地柔软的球都可以用来做游戏，比如网球、壁球、布球、软橡胶球、泡沫塑料球。

球从管子的一边进、另一边出，这个在我们大人看来再简单不过的现象，对宝宝来说就像在和球玩捉迷藏一样，令她既迷惑又兴奋。即使她已经知道了答案（"球到哪里去了？哈哈，在那里！"），也不会拒绝再多玩几遍这个游戏。

● 首先，准备一根塑料管或者硬纸管，几个网球或其他质地偏软的球。把球放入管子的一端，将管子倾斜，这样球就会向下滚落，然后让宝宝从另一端将球取出来。重复几次后和宝宝交换位置，让宝宝放球，你来取。

● 使用大小不同的球以增加游戏的难度。哪些球能装进管子里，哪些不能？球的直径不得小于 4.5 厘米，否则孩子一旦误食就可能发生危险。

● 如果让宝宝接住从管子另一端滚出的球，本游戏便升级为一个锻炼宝宝协调性的游戏。家长站起来，将球放进管子里，让宝宝守在管子的另一端，试试能否抓住球。球越小，难度越大。

◀ 如果宝宝喜欢这个游戏，家长可以让她再试试第259页的游戏"神投手"。

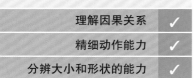

透过透明的管子，宝宝可以看
到绿色的小球从顶部一直滚到
了底部。如果管子是不透明的，
整个游戏就又多了一份惊喜。

263

18个月及以上
1½

来到火车站

音乐陪我去旅行

"Down by the Station"
（来到火车站）

Down by the station,	来到火车站，
(Down by the station，)	
early in the morning,	正是大清早，
(early in the morning,)	
see the little puffer bellies,	瞧，喷气小火车
(see the little puffer bellies,)	
all in a row.	全部排成排。
(all in a row.)	（和宝宝并排站好，
	模仿火车。）
See the station master	看，火车站站长
(See the station master)	
turn the little handle.	拉开小把手。
(turn the little handle.)	
Puff, puff, toot, toot,	呜、呜、嘟、嘟，
(Puff, puff, toot, toot,)	（做拉绳鸣汽笛状。）
off we go.	我们出发了！
(off we go.)	（和宝宝一起
	模仿火车前进。）

语言发展	✓
节奏感	✓

并不是只有通过优美的曲调才能让宝宝感受到节奏，即使是最简单的儿歌也能让他从中体会到节奏感。如果家长能为一些悦耳的韵律配以有趣的动作，再加上宝宝喜欢的主题，比如火车，就能得到一个让宝宝从头乐到尾的游戏。

● 家长演唱"来到火车站"这一句时要边唱边打拍子，好让宝宝兴奋起来，能够随着音乐扭动身体并模仿你的动作。你的动作最好夸张一些，这有助于你家的"小工程师"理解歌词的含义。

这个简单的儿歌游戏能教会宝宝如何感受节奏、如何吹口哨，还能让宝宝对火车产生兴趣。

诱人的质感

一本具有丰富感官刺激的书

宝宝对周围的一切都充满好奇，总想伸手摸摸这儿、碰碰那儿，哪怕它们只是一些果酱、死掉的小虫子或者过期的麦片。你可以买一本或自制一本能让宝宝触摸的书，让他通过双手去感知这个世界。

● 制作这样一本书你需要收集不同的材料，比如棉布、粗麻布、锡纸和蜡纸。将每种材料剪下一块粘在硬纸板或者彩色卡纸上，然后装订成册。

● 和宝宝一起开始手指触摸体验，互相描述指尖感受到的奇妙感觉。

技能点睛

一本集合了不同材质的感官书能让宝宝感知各种不同的材料，帮助他学习新的概念，如坚硬、光滑、粗糙，甚至是湿软。此外，这样的书还能让宝宝有机会表达自己的喜好：是否喜欢粗麻布那涩涩的感觉？是否喜欢皱巴巴的锡纸？

✓	**语言发展**
✓	**触觉分辨能力**
✓	**触觉刺激**

翻开由细砂纸或人造毛等特殊材质制作的图书，让宝宝坐在你的腿上开始全新的指尖探索之旅吧。

265

研究报告

　　如果你的孩子能够毫不费力地分辨出橡树叶和枫叶，还能轻而易举地区分出环尾狐猴和浣熊的话，那么他所表现出的这种特质也许就是所谓的"自然认知智能"。这个概念由美国哈佛大学著名的心理学家霍尔德·加德纳提出，是指识别动植物并对其进行分类的能力。加德纳还曾总结出其他7种智能（如语言智能和数学逻辑智能），他说："拥有自然认知智能的人能够在生物世界中如鱼得水，也许他天生就擅长照料、驯养动植物，与各种生物进行微妙的交流。"

和树聊聊天

18个月
$1\frac{1}{2}$
及以上

野外漫步

无论你住在城市、郊区还是乡下，你的宝宝都会被树木之类的植物所吸引。如果你想让孩子与大自然近距离接触的话，可以带他到树木繁茂的街道、公园或者树林里，引导宝宝发现植物无与伦比的美丽。

- 让宝宝看一看树叶、树干、树根和树枝。鼓励宝宝摸一摸粗糙的树皮、光滑的树叶、粗大的树根。让宝宝听一听（比如，树叶沙沙的响声或小鸟叽叽喳喳的叫声）、闻一闻（比如，肥沃的泥土和芬芳的花朵）。

- 找一找居住在树林里的动物，包括松鼠、小鸟、小昆虫。找一找小动物们的家，比如小鸟的巢。

- 告诉宝宝一定要尊重生命，即使是那些爬来爬去的小虫子。为了让他明白这一点，你可以找一些无害的小动物（蜗牛或蚯蚓），拿近一点儿，让宝宝看清楚。

- 等孩子长到 2 岁或者更大一点儿的时候，带他去收集一些橡子、树叶、松果和脱落的树皮，然后用这些材料制作一幅拼贴画（详见第 251 页的"大自然的艺术"）或者一本标本书。

- 告诉宝宝一些常见树的树名，教他如何识别不同的树木。（"看到有着白色树皮的那棵树了吗？那是桦树。叶子的形状细长似针的树是松树。"）

技能点睛

详细了解树木以及居住在树林中的动物，是宝宝了解五彩缤纷的大自然的重要一步。让宝宝从那些爬来爬去的小动物身上发现乐趣——而不是恐惧——可以让他更有同情心，也能让他更早地体会自然科学的奥秘。

✓ **语言发展**

✓ **感官探索**

✓ **视觉分辨能力**

通过爸爸的视角，向宝宝描述鲜嫩的树叶，有助于宝宝欣赏、感受大自然。

如果宝宝喜欢这个游戏，家长可以让他再试试第298页的游戏"动物医生"。

神奇的冰箱贴

玩具 "黏黏" 也好玩

技能点睛

捏着冰箱贴滑来滑去可以锻炼宝宝的精细动作能力——有了这项技能，宝宝就能画画、玩拼图、系纽扣，最主要的是拿笔写字。这些吸引人眼球的冰箱贴有助于宝宝学会区别颜色和大小，还能增加他的词汇量，而让其中的一块冰箱贴 "消失" 还可以锻炼宝宝的视觉记忆。

巧手课堂

找一些便宜的扁平磁铁，用胶水或胶带将家人的照片贴在上面，还可以贴上宝宝最喜欢的照片、图画或杂志上的图片，这样就可以制作出个性独特的冰箱贴了。当然，还有很多地方可以买到磁性相框。

计数概念	✓
精细动作能力	✓
分辨大小和形状的能力	✓
视觉记忆	✓

许多宝宝都喜欢把冰箱贴从冰箱上取下来，以此来展示他们双手的灵巧性——然后为自己获得的 "战利品" 欢呼雀跃。想要让小小的冰箱贴更具魅力，家长可以将其运用在许多游戏中，让宝宝充分锻炼自己的眼睛、双手和大脑。

● 收集一些彩色的冰箱贴，将其吸附在金属烤盘上（注意：冰箱贴不能吸附在铝盘上）。尽量使用那些带有宝宝喜欢图案的冰箱贴，比如动物、花朵、食物、故事书里的人物、数字或汽车。冰箱贴的直径不能小于 4.5 厘米，以免孩子因误食造成危险。此外，还要确保冰箱贴的边缘便于宝宝拿取。

● 让宝宝从烤盘上取下冰箱贴，然后再让他放回去。一边观察宝宝的动作，一边和宝宝聊一聊冰箱贴的颜色、大小和上面的图案。鼓励宝宝自己挪动烤盘里的冰箱贴，随意摆放，用冰箱贴创作出独具风格的作品。等宝宝年龄大一点儿后，你可以从烤盘上悄悄拿走一块冰箱贴，让宝宝猜一猜究竟是哪块冰箱贴不见了。

如果宝宝喜欢这个游戏，家长可以让他再试第265页的游戏 "诱人的质感"。

宝宝还太小，无法理解什么是磁力。但是，让他知道某些东西能够吸附在烤盘上，恰恰是引导宝宝踏上科学之旅的起点。

269

张开，合拢

欢快的节奏和歌曲

"Open Shut Them"（张开，合拢）

Open shut them,	张开，合拢，
open shut them,	张开，合拢，
	（双手握拳，先张开、再合拢。）
give a little	我们一起来，
clap, clap, clap!	拍，拍，拍。
	（拍三下手。）
Open shut them,	张开，合拢，
open shut them,	张开，合拢，
	（双手握拳，先张开、再合拢。）
lay them in your	在大腿上
lap, lap, lap!	拍，拍，拍。
	（用手拍三下大腿。）
Creep them, crawl them,	小手慢慢向上爬呀，
creep them, crawl them,	一点一点向上爬呀，
right up to your	朝着下巴爬爬啊！
chin, chin, chin!	（让手指从胸口慢慢移到下巴处，不停给宝宝挠痒痒，逗她笑。）
Open up your little mouth,	慢慢张开你的嘴呀，
	（用手指摸一下嘴唇。）
but do not let them in!	别让它们爬进去！
	（快速将手指移到膝盖处，不停挠痒痒，逗她笑。）

创意表达	✓
精细动作能力	✓
语言发展	✓

宝宝非常喜欢自己的小身体，对自己身体各部位的名称也非常感兴趣。此外，她还很享受挠痒痒以及能带给她惊喜的游戏。这首儿歌不但能让宝宝有机会展示自己对身体的认识，而且还能让她玩"爬爬爬"的挠痒痒游戏。

首先给宝宝演示儿歌里的动作，看看她能否跟上。如果宝宝还不太明白你的意思，不妨先和她玩玩手指游戏，直到她能够模仿你的动作。

如果宝宝喜欢这个游戏，家长可以让她再试试第232页的游戏"捂住你的眼睛"。

宝宝很喜欢用手指玩"爬爬爬"的游戏。如果妈妈能陪她一起玩，那宝宝就更开心啦！

271

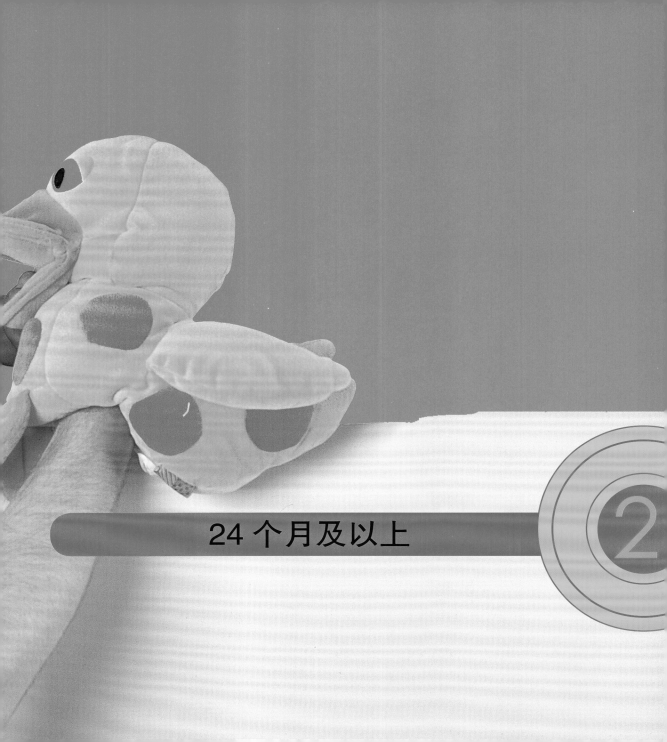

24 个月及以上

②

在你把球扔给宝宝
之前就向她演示如
何接球，宝宝会学
得更快哦！

接住沙滩球

抛接球游戏

大多数宝宝都是先会扔球，才会接球的，而且她们总喜欢用小胳膊把球抱住。做抛接球游戏时，家长必须有足够的耐心，因为只有经过大量的练习，宝宝才能学会如何接球。先把球滚向宝宝，然后让她把球滚回来（详见第 188 页的游戏"传球啦！"）。等宝宝做好试着接球的准备时，你最好选用一个稍微有些亏气的沙滩球，这样宝宝的小手更容易抓住球。

- 你可以跪着或盘腿坐在距离宝宝几步远的位置，让宝宝把沙滩球扔给你。向宝宝演示一下如何接球，然后把球扔给宝宝，让她试着接住。一旦宝宝完成了这个任务（需要非常耐心哦），就可以一点点扩大你们之间的距离。

技能点睛

　　陪宝宝玩抛接球游戏是一项简单而有趣的活动，它能够锻炼宝宝的大运动能力以及手眼协调能力。要想成功地接住球，宝宝需要有迅速的反应和良好的空间意识，而这些能力的获得需要经过一段时间的练习。鼓励宝宝接球，也是为了教会她如何参与到非竞争性的活动中。

✓	**手眼协调能力**
✓	**大运动能力**
✓	**社交能力**

掌握平衡

站在平衡木上

技能点睛

在充满好奇的宝宝眼中，平衡木、圆木或者矮墙有着不可抵挡的诱惑力。如果宝宝能在平衡木上越走越稳，那她的平衡能力也就提升到了一个新的水平，同时她的脚眼协调能力也得到了大大增强——拥有了这些至关重要的能力，宝宝才能迈步走，进而开始跑、跳、单脚跳、跳绳——没人知道她能做出什么难以预料的动作来——甚至像体操运动员那样在平衡木上做各种高难度的动作。

平衡能力	✓
脚眼协调能力	✓
空间意识	✓

如果宝宝喜欢这个游戏，家长可以让她再试试第295页的游戏"快乐的脚印"。▶

站在狭窄的走道上寻找平衡是所有小宝宝天生就喜欢做的事，家长大可不必为此担心。你可以在体育馆、公园或者游乐场中找到能让宝宝慢慢在上面行走，并且较为低矮、安全的平衡木。先向宝宝演示一下如何在平衡木上行走，然后握住宝宝的手，让她试着在平衡木上慢慢走。

● 如果一开始宝宝不太情愿，你可以在平衡木的另一端放上玩具，并鼓励"小小体操健将"握着你的手，慢慢地走过去取回玩具。记住，要让宝宝先在柔软或者加有衬垫的地方多练习练习。

有宝宝最爱的"教练"陪在身旁不断给予她鼓励，她一定会走得稳稳当当。

玩偶游戏

一场传统的舞台演出

宝宝喜欢玩偶，因为在他们眼中玩偶拥有神奇的魔力和生命力。如果家长能借助玩偶上演一出活灵活现的滑稽剧，就更能勾起宝宝对玩偶的兴趣了。你可以买几个样式独特的玩偶，也可以用颜色鲜艳的马克笔在袜子或袋子上画张脸自制几个玩偶，甚至可以给自制玩偶缝上耳朵或角，粘上纱线做的头发。

● 你可以将毯子搭在椅背上，也可以直接蹲在沙发后面，把它们当做你的舞台。拿起两个玩偶，给宝宝讲故事、唱歌。别忘了给不同的玩偶配上不同的声音哦！

● 借助玩偶向宝宝提问，鼓励他与玩偶"交谈"。问问他最喜欢什么食物、有什么喜欢的玩具，让他说说自己的爸爸妈妈。让他给玩偶指指自己的鼻子和脚趾——宝宝们通常很乐意这样做。

技能点睛

2岁的宝宝会认为玩偶拥有人类的一切特征，并会把它们视为最好的朋友。如果你能让玩偶的举止更像真实的人，就可以激发宝宝的想象力。讲故事和交谈可以促进宝宝对话能力的发展。

✓	想象力
✓	语言发展
✓	社交能力

胖乎乎的大青蛙和一只带圆点的鸭子正在和小宝宝分享有趣的故事。

火车之旅

想象中的火车

技能点睛

这个游戏可以锻炼你家"小司机"上身肌肉的协调能力，让宝宝学会跟着歌曲节奏摇来摇去。火车带着小乘客呼啸着行驶而去，能增强宝宝全身的协调性和平衡能力——当你大笑不止时，宝宝想稳稳地坐在你的腿上可不是件容易的事。另外，角色扮演也能激发宝宝的想象力。

协调性	✓
大运动能力	✓
想象力	✓
社交能力	✓

带着宝宝进行一趟幻想的火车之旅怎么样？她身上满溢的活力一定可以为你这辆火车提供充足的动力。大声宣布"火车"的目的地（"第一站——妈妈的腿！"），然后启动火车，假装拉响汽笛（"呜呜！"），让宝宝坐在你的腿上。家长一边发出"咔嚓咔嚓、呜呜"的声音，一边握着宝宝的手画圈（就像快速运转的车轮）。同样，你也可以让宝宝扮成车头，自己扮成车尾，咔嚓咔嚓地绕着房间前进（"下一站，宝宝的卧室！"）

● 来回摆动身体，假装行进中的火车正在拐弯。穿越"隧道"时火车要减速（小心！低头！），还要时不时地停车靠站，让旅客下车。

● 如果"火车"是在家里行驶，你们不妨一边旅行一边演唱喜爱的火车歌谣（详见第 264 页的儿歌"来到火车站"）。

● 想让宝宝更了解火车，更喜欢这个游戏，可以带她去真正的火车站看一看——地铁站也行——让你家的"小司机"看看火车是如何沿着铁轨行驶的。

如果宝宝喜欢这个游戏，家长可以让她再试试第304页的游戏"消防车，开动！"。 ▶

"呜！呜！上车啦！"

如果能坐在妈妈的腿上活力四射地玩游戏，那宝宝"开火车"和"拉汽笛"的技术一定会越来越精湛。

说"不"阶段

对 年轻的父母来说，最震惊的事情莫过于原本温顺听话的乖宝宝竟然变得喜怒无常，而且嘴里似乎还多了句口头禅"不要"——"不要吃香蕉"、"不要洗澡"、"不要唱歌"……然而这些东西他们以前好像从来都来者不拒。正如本杰明·斯波克博士在其著作《斯波克育儿经》（*Baby and Child Care*）里写的那样："当父母推荐的东西对宝宝没有足够的吸引力时，他们就会固执己见……心理学家把这称为'违拗症'。"斯波克博士认为，即便是最有耐心的父母面对违拗症的威力也难以招架。这就向家长发出了一个重要信号——孩子正成长为一个独立的个体，他们已经开始独立思考了。

与宝宝相处需要有冷静、理智以及合作的心态，这样才能将他们培养为一个冷静沉着、善于合作、通情达理的人——这是最有效的方法，但这需要时间。在宝宝学会更好地控制自己的情绪前，他不如意时一定会乱发脾气。如果可能的话，最好的办法是对这种行为视而不见，以此来告诉宝宝这种不得体的行为不可能帮他获得自己想要的东西。

在《美式家庭：品质教育家长对策》（*Raising Good Children*）一书中，发展心理学家托马斯·里克纳建议：父母最好能让宝宝保持兴奋而忙碌的状态，当他们焦躁不安时，父母可以试着通过游戏转移他们的注意力，允许他们在安全的环境中自由玩耍。他还建议让宝宝数数，以此来缓解他们烦躁的情绪，比如家长可以说："我们来看看，当我数到 10 的时候，你能不能坐到椅子上。"另外一种对策是给宝宝提供选择。如果他坚持要穿不合时令的衣服，你可以再拿两件合适的衣服，问他："今天你想穿哪一件呢？"成年人也许一眼就能识破这种小把戏，但对任性的宝宝来说这是非常有效的，因为他感觉自己不仅享有充分的选择权，而且还获得了内心渴望的自由。

骑大马

在客厅里遛一圈

你的宝宝肯定觉得图片里的马儿有趣极了，不过让她爱上真正的马儿，可不是件容易的事。家长双膝着地，双手支地，跪在地上扮演小马，然后让宝宝骑在家长背上，这能促进宝宝的平衡能力。确保宝宝已经稳稳地坐在了"马背"上后，游戏正式开始。游戏过程中你千万不能大意，一旦宝宝身体歪斜，你得立刻出手，抓住她的腿。

● 想在游戏中加入音乐吗？（想变成一匹会唱歌的"马"吗？）你可以在屋里边爬边唱《跳起来，我的女士们》（歌词见第219页）或是宝宝爱听的其他儿歌。在游戏过程中，你的上半身可以先降低，再抬起来（可不要抬得太高哟），或者左扭扭右晃晃，这有助于宝宝学会保持平衡。

爸爸快跑！你可以先在客厅活动一下，热热身，然后再开始牛仔小英雄的马术课。

技能点睛

没错，2岁的宝宝走路不成问题，但这并不意味着她的平衡能力也很好。你可以驮着宝宝，在屋里摇摇晃晃地爬行，这样可以训练宝宝寻找身体的重心，保持平衡。宝宝想象自己骑着一匹乖巧的小马或者奔腾的骏马，这样还能拓展她的想象力。

✓	平衡能力
✓	大运动能力
✓	想象力

从头到脚

唱出身体部位

"Head to Toes"（从头到脚）

一边唱出身体部位的名称，一边触摸相应的部位。

Head, shoulders,	头、肩膀、
knees, and toes.	膝盖、脚趾。
Knees and toes!	膝盖和脚趾！
Head, shoulders,	头、肩膀、
knees, and toes.	膝盖、脚趾。
Knees and toes!	膝盖和脚趾！
Eyes and ears and	眼睛、耳朵、
mouth and nose,	嘴巴和鼻子，
head, shoulders,	头、肩膀、
knees, and toes.	膝盖和脚趾。
Knees and toes!	膝盖和脚趾！

每多唱一次时，可以用拍手来代替一个部位。

身体感知能力	✓
大运动能力	✓
听觉能力	✓
节奏感	✓
视觉记忆	✓

你可能还记得自己童年时在露营地、学校里，或者和朋友、爸爸妈妈一起唱过的这首儿歌。这首朗朗上口的儿歌能帮助宝宝学习并记住身体各部位的名称。

● 一边对着宝宝唱这首儿歌，一边用双手指出身体的相应部位。一遍接一遍地唱，每次都加快速度。唱着唱着你自己都可能出错，甚至会上气不接下气——但这恰恰是一种乐趣。

● 你的宝宝是不是跟不上节奏了？唱歌的同时，你可以摸摸宝宝对应的身体部位，这样她慢慢就能学会怎样把歌词和动作配合起来了。

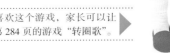
如果宝宝喜欢这个游戏，家长可以让她再试试第 284 页的游戏 "转圈歌"。▶

随着音乐的节奏摸脚趾，既能加强宝宝身体各部位的协调性，又能增强宝宝的节奏感。

研究报告

音乐不仅可以舒缓一个人狂躁的情绪，还能振奋人的精神。1993 年，物理学家戈登·肖和心理学家弗朗西斯·劳舍尔共同开展了一个研究项目，之后他们向世人公开了其研究成果。实验表明：如果大学生在参加时间－空间推理能力的考试前能花 10 分钟时间欣赏莫扎特的《D 大调双钢琴奏鸣曲》，他们的成绩平均能够提高 8～9 分。这项发现及相关研究让美国佛罗里达州的议员大受启迪，并于 1998 年颁布了《贝多芬儿童法令》。这项法令要求儿童保健中心每天给孩子播放 30 分钟的古典音乐。尽管"头、肩膀、膝盖和脚趾"这首儿歌和莫扎特的音乐差别很大，但是劳舍尔认为任何复杂的音乐（无论是古典音乐、爵士乐，还是摇滚乐）都能促进大脑的发育。

转圈歌

在宝宝特别想转着圈奔跑、歌唱的时候，这些经久不衰的儿歌就是做游戏时的最好选择。转着圈、唱着歌、拉着手，这是产生友情的最好方式——不管是和妈妈爸爸，还是一些要好的朋友。

Ring Around the Rosy（围着玫瑰转圈）

Ring around the rosy,	围着玫瑰转啊转， （手拉手围成圆圈，转着圈走。）
pocket full of posies,	口袋满是鲜花瓣，
ashes, ashes,	花瓣飘，花瓣飘，
we all fall down!	我们全都陶醉啦！ （倒在地上。）
The cows are in the pasture,	奶牛奶牛在牧场， （围成一圈坐在地上。）
eating buttercups,	吃着美味的青草， （模仿吃东西的动作。）
thunder, lightning,	闪电啦，打雷啦， （用手拍打地面。）
we all stand up!	我们赶紧躲一躲！ （迅速站起来。）

The Mulberry Bush（桑树丛）

Here we go round the mulberry bush,	我们围着桑树丛转啊转，
	（手拉手围成圈圈，转着圈走。）
the mulberry bush,	转啊转，
the mulberry bush.	转啊转。
Here we go round the mulberry bush,	我们围着桑树丛转啊转，
so early Monday morning.	就在星期一的清晨。

This is the way we wave hello, 我们招手说你好，
wave hello, wave hello. 说你好，说你好，
This is the way we wave hello, 我们招手说你好，
so early Tuesday morning. 就在星期二的清晨。

This is the way we clap our hands, 我们转圈拍拍手，
clap our hands, 拍拍手，
clap our hands. 拍拍手。
This is the way we clap our hands, 我们转圈拍拍手，
so early Wednesday morning. 就在星期三的清晨。

This is the way we tap our toes... 我们转圈踮起脚……
so early Thursday morning. 就在星期四的清晨。
This is the way we touch our nose... 我们转圈摸鼻子……
so early Friday morning. 就在星期五的清晨。
This is the way we stomp our feet . . . 我们转圈跺跺脚……
so early Saturday morning. 就在星期六的清晨。
This is the way we wave goodbye . . . 我们挥手说再见……
so early Sunday morning. 就在星期日的清晨。

Looby Loo（围成圈）

Here we go looby loo, 我们围成圈，
here we go looby light, 我们转成圈。
here we go looby loo, 我们围成圈，
all on a Saturday night. 就在周六晚上。
（举起双臂蹦蹦跳。）

You put your right hand in. 你伸出右手，
You take your right hand out. 你收回右手，
You give your hand a shake, 摇摇你的手，
shake, shake,
and turn yourself about. 然后转个圈。

可加入更多词汇：left hand（左手），right foot(右脚),left foot（左脚）。

Pop Goes the Weasel（黄鼠狼溜走了）

All around the cobbler's bench, 围着鞋匠的长凳，
（手拉手围成圈圈，转着圈走。）
the monkey chased the weasel. 猴子追赶黄鼠狼。
The monkey thought it was all in fun, 猴子玩得正起劲，
POP! Goes the weasel! 黄鼠狼却溜走了。
（跳起来，然后倒在地上。）

A penny for a spool of thread, 一便士买线轴，
a penny for a needle. 一便士买根针。
That's the way the money goes. 钱就是这样用的。
Pop! Goes the weasel! 黄鼠狼又溜走了！

畅游水族馆

鱼儿虽假，趣味尤在

技能点睛

模拟鱼缸能够帮助孩子了解鱼类独特的生活习性：它们生活在水中，用鳃呼吸……让宝宝和塑料鱼玩耍，可以训练她的想象力。此外，这个游戏还能扩展孩子的词汇量，让她学到一些描述色彩、形状、质感和动作的词汇。

创意表达	✔
想象力	✔
语言发展	✔
感官探索	✔

不少成年人都会在鱼缸前驻足，欣赏鱼儿在水中自在地游来游去，更何况是孩子。不过与大人不同的是，孩子们似乎并不满足于当观众，她们恨不得把手伸进鱼缸里，捧起一捧水、抓住一条鱼或者揪出一把水草。你不妨带宝宝去水族馆的触摸池亲自体验一次，让她好好过把瘾（注意要保护鱼儿）。当然，你也可以在家里动手制作一个模拟鱼缸，让孩子足不出户就能尽情享受。

● 找一个塑料箱或洗菜盆，在其底部铺一层薄薄的蓝纸，然后放入贝壳、塑料鱼以及水草模型。引导宝宝探索鱼缸中的世界，让她说一说手感如何、水族箱里有哪些颜色的鱼和水草、描述一下鱼儿在水中游动的姿态。如果宝宝（也包括你）想感受水花飞溅的乐趣，请将蓝纸换成真正的水。不要忘了给她准备些清理鱼缸的工具，比如铲子、滤网。

● 如果宝宝的确对鱼儿的世界感兴趣，你可以动手建造一个真正的鱼缸——当然是和孩子一起（一定要向她讲清楚，真正的鱼是不能离开水的）。你也可以带她去宠物店或海洋馆，在那儿她不但能看到各种鱼儿，还能见到海龟、青蛙、蝾螈，甚至海马。

仅仅是一个模拟鱼缸，就
能够带领孩子走近奇妙的
水世界。瞧，就算没有水，
这条小鱼也很享受。

如果宝宝喜欢这个游戏，家长可以让她
再试试第298页的游戏"动物医生"。

纱巾飘飘

抓住飘动的织物

技能点睛

2岁大的孩子本能地想要锻炼大运动能力，如跑、踢、跳、滚，这个游戏正包括了此类运动。游戏能够锻炼宝宝抛接物体的能力。纱巾看上去颜色亮丽、摸上去顺滑柔软，令人爱不释手，在空中飘舞时，会形成一副美妙的图画。

宝宝也许已经能够熟练地抓住滚动的皮球、摇晃的瓶盖，甚至是家里的小猫了。下面，我们为她准备了一个全然不同的游戏，充分挑战她的手眼协调能力。找几条色彩鲜亮、质地轻盈的纱巾，然后将它们抛向空中，让宝宝接住缓缓飘落的纱巾。几轮过后，交换角色，由宝宝来扔，你来接。等宝宝再大一些，鼓励她先转几圈、拍拍手，再接纱巾。

用纱巾在空中画出一道彩虹，可以刺激宝宝的视觉，锻炼她的运动技能——而且还很有趣哦。

脚眼协调能力	✓
手眼协调能力	✓
大运动能力	✓

喂，你是谁？

打电话的乐趣

宝宝爱电话，就像狗熊爱蜂蜜。与其让孩子远离家中的无绳电话，不如给她一个电话让她玩。你可以给她一个废旧的电话，或者买个漂亮的玩具电话（有些玩具电话拨号时还能发声）。让宝宝将听筒拿到耳边，对着话筒提几个简单的问题，比如"你是谁呀？"、"你今天做什么了？"、"爸爸，我想和你说说话，好吗？"

技能点睛

学习与人交谈，即使是想象中的交谈，也会促进孩子的语言发展和社交能力。这个游戏还能教给孩子一些基本的电话礼仪（比如"请问你是谁？"或者"我很好，谢谢关心。"），慢慢地她就能替你接电话了。

✓	创意表达
✓	语言发展
✓	自我意识
✓	社交能力

"我是克里斯蒂娜，你今天能来看看我吗？"你家的小宝贝拿起玩具电话有模有样地假装和小伙伴交谈，这能帮助她学习如何与人交谈。

如果宝宝喜欢这个游戏，家长可以让她再试试第312页的游戏"娃娃物语"。▶

扔得好！这对小河马沙包来说可能不好玩，但对你的宝贝来说，他会迷上把瓶子打翻的游戏。

研究报告

在《儿童智力发育的五大里程碑》（Magic Trees of the Mind）一书中，神经解剖学家玛丽安·戴蒙德和科学记者珍妮特·霍布森都强调了空间训练的重要性，比如沙包保龄球游戏，就有助于促进宝宝生理和心理的发展。她们指出："空间智能（包括对距离和空间维度的判断）是最有形、最实用的思维能力。而空间感训练也是一种让孩子玩出快乐、玩出未来的练习。"

沙包保龄球

学习投掷

把 叉子从高高的椅子上扔下去、将光盘从书架上拽下来，这些都会让宝宝兴奋不已——他这样做就是想看看会发生什么（包括你会有什么反应）。这是宝宝理解因果关系的自然方式，也是学习重力和压力等新概念的好方式（尽管他们并不需要清楚这些词的具体含义——至少暂时不需要）。如果你还想让孩子了解"物体的易碎性"的话，可以利用宝宝对碰撞行为的兴趣，带他做下面这个游戏。

● 把若干个又高又轻的塑料瓶、杯子或者空铁罐堆放在一起，给宝宝示范怎样投掷动物沙包能将它们击倒（对宝宝来说，坐在地上投掷沙包会更容易）。演示完毕之后，和宝宝轮流投掷——不要在意得分哦!

● 使用大小不同的球代替沙包，以增加游戏的趣味性。还可以让宝宝坐在离瓶子不同距离的位置，他很快就会发现离瓶子越远，就越得使劲才能击中目标。

● 如果你家的"小投手"已经掌握了击瓶的基本技巧，就要慢慢增加难度，比如让他站着扔沙包。如果你想增加游戏的趣味性，就鼓励宝宝将被击得满屋子都是的东西收集起来。

技能点睛

投掷沙包击中目标可以促进宝宝的手眼协调能力，帮助他理解因果关系。这个游戏能够培养他形成轮流交替的意识，这不仅对宝宝的早期发展具有重要的意义，也能让他懂得如何与他人和睦相处。

✓	平衡能力
✓	理解因果关系
✓	手眼协调能力
✓	大运动能力

291

哗啦啦下雨了

浴缸游戏

技能点睛

任何一种形式的戏水游戏都能刺激宝宝的感官。在这个特别的游戏里，当宝宝感觉到、看到并听到一股水流变成"雨"时，她就能边看边听边感受，让自己的触觉、视觉、听觉都得到相应的刺激。此外，这个游戏还能让宝宝接触到"空"和"满"的概念，这有助于她理解水的形态变化。

宝宝喜欢哗啦啦的流水声，喜欢浴室里的欢乐时光。现在，她可以自己在浴缸里制造雨水，进而了解大自然的神奇之处。

● 制作降雨设备：在酸奶盒的盖子上（或底部）扎几个小孔，或者使用过滤器和洒水壶，塑料筛子也可。

● 向宝宝演示如何将这些容器浸在水里使其装满水，然后再让水漏出来。往漏锅里注入水，让"雨"下得更大。试着将"雨滴"洒在宝宝身上，同时唱着"雨啊雨，快快走，明天又是大晴天……"有些宝宝会咯咯咯地笑个不停，但有些宝宝要等到几个月后才能体会到被"雨"淋的乐趣。

● 用喷壶对着宝宝喷水（宝宝也很可能拿起喷壶对着你喷），然后教她如何把喷壶灌满水。

● 大一点儿的宝宝可能喜欢用淋浴喷头——享受"雨滴"落在身上的感觉，但前提是你得确保水温适宜。想让游戏更具趣味性，你还可以爬进浴缸，和孩子一起玩。打开淋浴喷头，让"大雨"倾盆而下。

概念理解	✓
语言发展	✓
感官探索	✓
触觉刺激	✓

如果宝宝喜欢这个游戏，家长可以让她再试试第296页的游戏"为娃娃洗澡"。

只要给小朋友合适的
工具，快乐就会随着
"小雨滴"一起落下来。

我是谁？

乔装打扮

技能点睛

2 岁的孩子在穿衣方面大多已经有了自己的喜好。很多宝宝会坚持把自己装扮好再出门，哪怕这要花很长时间。这个游戏就像一张许可证，让宝宝能够自己挑选心仪的衣服——随心所欲地享受扮美的乐趣。类似的角色扮演游戏可以提高宝宝的社交能力。

创意表达	✓
想象力	✓
角色扮演	✓
社交能力	✓

一位公主、一个牛仔、一位电影明星……宝宝们都喜欢盛装打扮，营造一种戏剧效果。

宝宝一学会抓东西，就会开始玩围巾、帽子和毛衣等；一学会爬，就会径直爬到衣柜前。现在，让宝宝无拘无束地摆弄自己的衣柜吧。给宝宝准备一些不同风格的衣物（你可以在跳蚤市场、旧货店等地购买，那里的衣物不仅样式丰富，而且价格便宜），让宝宝自由发挥，想怎么穿就怎么穿、想扮成谁就扮成谁。你也可以参与其中，问问她："你今天是谁呀？"让宝宝邀请小伙伴一起出席盛装派对吧！

快乐的脚印

踏着脚印前进

宝宝还很小的时候，就对自己的小脚丫产生了浓厚的兴趣，比如抠抠脚指头或者看看自己第一双鞋的样子。让宝宝跟着自己的脚印走，能让他从一个全新的视角来观察自己的脚丫，同时也能增强他的运动技能。在彩色卡纸上画出宝宝脚部的轮廓并将其剪下，粘在硬纸板上。将硬纸板摆在地上，排成一条路，鼓励"小开拓者"踏着自己的脚印前进，要让宝宝的脚丫对准硬纸板上的剪影。

让小宝贝顺着彩色的脚印路前进，是培养宝宝协调性的好方法。

技能点睛

不管跟着什么样的踪迹前进，都需要有良好的平衡能力和协调性。改变路线和硬纸板间的距离或者让宝宝在路上跳上、跳下，会进一步挑战宝宝的平衡能力。当宝宝一步步踏着彩色脚印前进时，家长要说出宝宝脚下对应的颜色"红"、"蓝"、"绿"等，这有助于扩大宝宝的词汇量。

✓	平衡能力
✓	协调性
✓	脚眼协调能力
✓	大运动能力

如果宝宝喜欢这个游戏，家长可以让他再试试第276页的游戏"掌握平衡"。

为娃娃洗澡

爱与关怀的教育

技能点睛

2 岁大的宝宝不但会玩角色扮演游戏，而且还会想办法掌控她的世界。在这个游戏中，宝宝不仅要扮演玩具娃娃的家长，还有机会成为一位主导者，这会极大地锻炼她的社交能力和想象力。学着拿起一个浑身涂满肥皂水的娃娃，给它洗澡，可以提高宝宝的精细动作能力。

当宝宝轻轻地拍打玩具娃娃、给它们喂东西、把它们放到床上时，她实际上已经在扮演父母的角色了（参见第 312 页的游戏 "娃娃物语"）。此外，她还喜欢给玩具娃娃洗澡，这个时候她俨然成了玩具娃娃的看护者，通过洗澡游戏宝宝能学会如何清洁身体以及如何用心照料她的 "小伙伴"。

● 在脸盆里倒入热水——如果你还留着宝宝婴儿时期的澡盆就再好不过了，为了让游戏更真实一些，还要准备好毛巾、浴巾、香皂和洗澡玩具。

● 让宝宝试试水温（"水是不是太热了？"，"水凉吗？"），然后开始给玩具娃娃洗澡。

● 指出玩具娃娃身体各部位的名称（"这是她的鼻子，那是她的脚趾"）。这能加深宝宝对自己身体的了解，同时也是宝宝最喜欢的活动之一。

● 假装玩具娃娃很脏，让宝宝洗干净娃娃的耳后、脚趾缝，以及所有需要清洗的地方。

● 洗净之后，让宝宝用毛巾把娃娃的身体擦干。记得提醒宝宝别忘记给玩具娃娃刷牙哦。

身体感知能力	✓
精细动作能力	✓
想象力	✓
角色扮演	✓
社交能力	✓

如果宝宝喜欢这个游戏，家长可以让她再试试第248页的游戏 "指指看"。

娃娃在洗澡！2岁的宝宝一定喜欢拿着毛巾给娃娃身上抹上肥皂水。

研究报告

就在几个月前，宝宝可能还不会玩这种角色扮演的想象类游戏。美国哈佛大学的认知神经科学家、教育学家库尔特·费希尔通过追踪研究儿童的颅脑发育、脑电波的活动和神经连接密度发现，大脑在某种可以预测的间隙会受到生长迸发的影响。他说，其中一次迸发出现在婴儿18～24个月之间，这个时期宝宝拥有利用符号想象的能力。换句话说，这是宝宝的第一次心理飞跃——可以把无生命的物品（比如娃娃）看成一个需要好好洗个澡的"宝宝"。

297

动物医生

学习照料动物

技能点睛

这个游戏能让宝宝富于同情心，能让她学着照料动物，还能丰富她的词汇量，让她知道：鸟儿有翅膀，老虎有爪子，大象有长长的鼻子。给宝宝讲讲动物为什么会生病（"小马吃了太多糖，结果肚子疼。"），增加她对动物世界的认识。

宝宝喜欢小动物（不管是真的动物，还是动物玩具），同时她也对绷带、生病这些概念非常好奇。这意味着她已经迫不及待地想要在家开个动物诊所了。虽然这只是个游戏，但是她很乐意学着照顾那些小伙伴。

● 把宝宝喜欢的动物玩具集中到一起（玩具的直径务必大于 4.5 厘米，以免宝宝误食发生危险）。

● 准备几个小盒子或水果篮，让宝宝当做笼子或运载工具，把纸巾或围巾当做地毯。

● 告诉宝宝动物生了什么病：它们的爪子是怎么划破的、耳朵里为什么有虫子、翅膀是怎么折断的、肚子为什么会疼。

● 做好宝宝的助手，帮她给小动物清洗伤口、用纱布包扎伤口、缠绷带，最后把小动物放在干净、安静的地方，让它们好好休息（轻轻拍拍它们，说点儿安慰的话）。玩具药箱能派上大用场，药箱里的器械能让宝宝给可怜的小伙伴做全身检查、治疗，同时还能让宝宝学习简单的医疗知识。

概念理解	✓
创意表达	✓
精细动作能力	✓
想象力	✓
角色扮演	✓

◀ 如果宝宝喜欢这个游戏，家长可以让她再试试第354页的游戏"动物表演家"。

"小马受伤了吗？"

让宝宝扮演兽医，能让她轻松学会更多关于动物的知识。

形式多样的游戏

虽然本书一直在强调亲子间的游戏互动，但是让幼儿与同龄人一起玩耍也是非常重要的。1岁左右的宝宝主要是独自玩耍，因为他正忙着探索这个全新的世界。但他同时也会对其他孩子感到好奇，常常会模仿其他孩子的动作或声音。等宝宝再长大一点儿，他开始喜欢和小朋友们一起玩耍——两个或者更多宝宝坐在一起，玩着相似的玩具或者坐在一起做游戏。但此时他们彼此之间还没有太多的互动，比如他们会各搭各的积木。儿童保育专家佩内洛普·利奇在其著作《你的宝宝》一书中提到："幼儿会越来越需要其他孩子的陪伴"，大概到2岁左右，许多宝宝都愿意加入同伴的群体中，但是他们分享玩具的能力和与人进行有礼貌地交流的能力仍有欠缺。宝宝们直到3岁左右才能真正地在一起玩游戏——比如两个孩子会一起搭积木——虽然他们可能因为争夺喜欢的玩具或亲人的关爱而闹点儿小别扭。

这些早期的游戏互动会在宝宝心里播撒下优秀品质的种子，他会因此懂得什么是感情的共鸣、自我控制、与人分享、公平和自尊。同时，游戏互动还有助于培养宝宝更多必需的能力，以便他今后解决不同的社会问题。正如本杰明·斯波克博士在其著作《斯波克育儿经》里写的那样："在游戏中，孩子会学习如何与不同性格的孩子及大人相处，如何在给予和获得中感受快乐，如何解决冲突。"这些品质弥足珍贵，作为家长，我们应该给宝宝提供足够的机会，让他能和其他孩子一起嬉戏，这样才能促进其优秀品质的发展。

魔术杯

24个月及以上
2

挑战记忆力的游戏

虽然这个游戏比捉迷藏更高一级，但原理是相同的。这一刻还在，下一刻就不见了，然后又出现了——但宝宝必须记住这些东西之前所处的位置！首先，当着宝宝的面在 3 个杯子中选择 1 个，把小玩具藏在那个杯子底下。然后移动杯子的位置，让宝宝猜玩具在哪个杯子下面。

● 你也许在街头看过杂耍艺人通过这种方式变魔术，作为成人的你对此都感到十分迷惑，更何况小宝宝呢！不要把杯子移动得太快，否则宝宝就找不到玩具了。

技能点睛

宝宝还很小的时候，如果你盖住玩具，她就可能忘记玩具的存在。现在，宝宝已经可以理解被遮盖住的东西其实还在那里——这就是物体恒存性——找到东西后，宝宝会非常开心。当你移动杯子时，你要让宝宝将注意力集中到其中一个杯子上。你可以鼓励宝宝回忆玩具的样子，训练宝宝的视觉记忆。

| ✓ | 解决问题的能力 |
| ✓ | 视觉记忆 |

哪个杯子底下藏着小鸭子呢？如果她猜对了，就为她鼓掌，这样她会更喜欢玩这个游戏。

嘀！嘀！

卡车和小汽车的游戏

技能点睛

玩玩具车特别有助于锻炼宝宝的想象力，使宝宝有机会模仿成人世界的一项活动——开车（这对宝宝来说很有趣）。这个游戏还能促进宝宝的精细动作能力，有助于宝宝识别日常生活中的各种声音。

创意表达	✓
精细动作能力	✓
想象力	✓
语言发展	✓

大多数 2 岁多的宝宝都会对车很着迷，她们喜欢各种各样的车，包括自己坐的童车、街上的小汽车、大卡车、公交车，还有图画书上会"呜呜"叫的大火车。看到火车或者汽车穿过山洞、跨过大桥，宝宝都会特别兴奋。让宝宝推着玩具车穿过隧道，会让她更加好奇（感觉自己终于可以跟在汽车后面一探究竟了）。

● 选择一辆颜色鲜艳的大玩具车（不是迷你小车），这样便于宝宝控制。

● 教宝宝如何推着卡车在地板上前进，模仿卡车在行驶过程中可能发出的各种声音，比如喇叭发出的"嘀嘀"声，刹车时轮胎摩擦地面发出的"吱"的一声，还有发动机发出的"嗡嗡"声。别忘了，在真正的公路上开车时让宝宝听听那些声音。

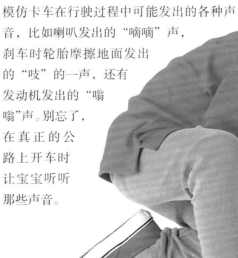

● 在大纸箱的两侧各挖一个洞，做成隧道，给宝宝演示如何推着卡车穿过隧道。告诉宝宝卡车各部位的名称（如方向盘、轮胎），解释清楚为什么在黑暗的隧道中行驶需要打开车灯。你也可以让宝宝猜猜卡车的哪一部分会最先驶出隧道——是车头还是车尾呢？

让宝宝把精力投入到极具创意的玩具车游戏中，你将看到宝宝的运动技能是怎样提高的。

研究报告

宝宝对游戏的无尽热爱说明她正处于一个特殊而奇妙的发展阶段。2 岁宝宝的大脑代谢所消耗的能量是成年人的 2 倍，他们拥有的突触也是成人的 2 倍（突触是指两个神经元之间或神经元与效应器细胞之间相互接触并借以传递信息的部位）。神经病学专家安·巴尼特在其与丈夫理查德·巴尼特合著的著作《最年轻的头脑》中指出："从生物学角度讲，这个时期是孩子学习的黄金时期。"这扇黄金大门只能开启到孩子 10 岁左右，之后，那些没有使用过的突触连接将渐渐从大脑中消失。

消防车，开动！

一首最爱的运动歌曲

"Drive the Fire Truck"
（消防车，开动！）

Hurry, hurry,	快一点，快一点，
drive the fire truck,	快快开动消防车。
	（模仿开车的样子。）
hurry, hurry,	快一点，快一点，
drive the fire truck,	快快开动消防车。
hurry, hurry,	快一点，快一点，
drive the fire truck,	快快开动消防车。
ding, ding, ding, ding, ding!	当当当，当当当！
	（挥手仿佛在敲警钟。）
Hurry, hurry,	快一点，快一点，
turn the corner,	快快转个弯。
	（模仿汽车转弯的样子。）
hurry, hurry,	快一点，快一点，
turn the corner,	快快转个弯。
hurry, hurry,	快一点，快一点，
turn the corner,	快快转个弯。
Ding, ding, ding, ding, ding!	当当当，当当当！
Hurry, hurry,	快一点，快一点，
climb the ladder...	快快爬上那云梯……
	（模仿爬梯子的样子。）
Hurry, hurry,	快一点，快一点，
squirt the water...	快快喷洒出水柱……
	（模仿喷水的动作。）
Slowly, slowly,	缓慢地，缓慢地，
back to the station...	返回消防站……

语言发展	✓
角色扮演	✓

按下警铃、拉响警报！唱起这首节奏欢快的儿歌，让喜欢大卡车的"小淘气"假装自己正开着最大、最抢眼的消防车跑来跑去——宝宝扮演的可是最令人兴奋的角色。面对面教宝宝开车时手部的姿势，或者站在宝宝背后帮助他完成这些动作。如果宝宝已经为扮演消防员做好了准备，你还可以找一个结实的大纸箱，将其涂成鲜亮的红色，让宝宝坐进去。一边推着宝宝四处转，一边唱"快一点，快一点！快快开动消防车"，并让宝宝模仿开车的动作。

你家的"小消防员"想象着自己正开着消防车，用水枪扑灭了一场大火。他一定会觉得这是最带劲的游戏。

包中宝贝

在包里找好东西

宝宝总是会对大人钱包或公文包里的东西表示出无限的兴趣。但这可能带给家长一些麻烦（比如宝宝在玩耍中弄丢了你的信用卡）或是带给宝宝潜在的危险（如果包里装着打开的药瓶或者削尖的铅笔）。给宝宝一个属于自己的包，在里面放入安全的东西——可以是她在家长的包里找到的木制梳子、钥匙、镜子、笔记本，甚至钱包——让她随便乱翻。鼓励宝宝用手摸包里的东西（"你能摸到钥匙在哪儿吗？"），或者问她要拿出来什么东西。

技能点睛

宝宝从包里向外掏东西的时候，你可以给她解释一下每件物品的用途，通过这种方式加深宝宝对物品的理解。（"你找到了汽车钥匙，真棒！现在我们就可以开车去商店了。"或者"你想不想用这个梳梳头发？"）经常更换包里的物品可以进一步挑战宝宝的分辨能力。

宝宝似乎变成了小大人。这是她自己的小提包，里面的东西都是从父母的公文包里拿出来的安全物品。让宝宝探究不同的物品，了解它们的用途。

✓	认知发展
✓	语言发展
✓	听觉能力
✓	触觉分辨能力

摸一摸，告诉我

枕头套里有什么？

技能点睛

　　学会描述常见的物品，不但有助于宝宝了解不同的物品，还有助于他的语言发展。在宝宝视觉记忆的发展过程中，增加触摸这一元素，可以帮助他从三维角度理解物体的属性。

宝宝对周围的事物越来越感兴趣了，他总是满怀热情地探究一切物体的质地、味道、模样和动作。你想知道帮助宝宝研究和分辨不同形状、不同质地的物品会带给他什么样的感觉吗？不妨试试这个经典游戏，你还能变着花样玩呢。

● 在枕套或者帆布包里放一件宝宝熟悉的物品，比如玩具卡车、球、布娃娃或者宝宝最喜欢的勺子或杯子。

● 让宝宝把手伸到枕套里摸一摸（不许偷看哦），然后猜一猜自己摸到的是什么（或许宝宝需要多摸几次才能猜对）。如果宝宝实在猜不出来，就要在他泄气之前公布答案。

● 拿出枕套里的物品，告诉宝宝这件东西摸起来有什么特别之处。你可以向宝宝解释"软"和"硬"、"粗糙"和"光滑"等概念。

● 在枕套里放入另一个玩具，重复游戏。鼓励宝宝一边猜自己摸到的是什么玩具，一边用你教他的词语描述自己的感受。

● 你也可以变个花样，让宝宝把一件玩具藏在枕套里，然后由你来扮演侦探。你还可以把东西放进枕套里，然后让"小侦探"隔着枕套摸一摸，看他能不能猜出里面是什么。

认知发展	✓
语言发展	✓
听觉能力	✓
解决问题的能力	✓
触觉分辨能力	✓

如果宝宝喜欢这个游戏，家长可以让他再试试第311页的游戏"神秘的声音"。

"哈，是我的杯子！"

通过这个动手触摸并说出物品名称的游戏，宝宝能体会到不同物品的质地，学会一些描述感觉的词语。

让宝宝用工具和彩色橡皮泥自由地玩，有助于她的创造力的形成。

研究报告

压、捏、揉、搓……橡皮泥的作用可不仅仅是为了培养宝宝的艺术才能。美国印第安纳大学布卢明顿分校的心理学家埃丝特·西伦主张让宝宝随心所欲地玩橡皮泥，用小手触摸橡皮泥时的感受，有助于发展宝宝"对世界的认识，从而使他们熟练使用不同的材料"。教育心理学家简·海利也相信橡皮泥、沙子、手指画和泥巴对宝宝大有裨益——它们能促进宝宝的触觉发展。简·海利还建议挑剔的父母们："如果你有洁癖的话，那么请闭上眼睛想象一下，如果大脑里几乎没有（神经）树突分支，那才真是泥糊糊的一团呢！"

308

橡皮泥大师

造型和雕刻

你还记得自己小时候用橡皮泥捏出的各种滑稽可笑的东西吗？现在你家 2 岁大的宝宝也迷上彩色橡皮泥了。你可以去玩具店买点儿无毒的橡皮泥，也可以自己动手做一些彩色的橡皮泥（详细做法见右边的"巧手课堂"）。给宝宝提供充足的空间和一些安全的工具，比如擀面杖、压土豆泥器和饼干模具，然后让她开始雕刻。

● 大多数孩子更喜欢将橡皮泥压成各种不同的形状。你可以教宝宝把橡皮泥搓成球后再压扁，也可以教她先将橡皮泥搓成长条，再揪成一段一段的，然后再将其揉成团。

● 教宝宝将一些简单的形状（比如圆形、正方形、三角形）组合在一起，做成像脸、帽子或树等能识别的物体。

● 要找一些密封的容器存放橡皮泥，并用相应的颜色做标签贴在盖子上。等宝宝玩完后，让她把橡皮泥放入对应的容器里。

巧手课堂

把一量杯面粉、一量杯盐、一汤匙酒石、一量杯水和一汤匙植物油混合在一起。将混合物倒入锅里慢煮，直到泥开始向锅中间聚集。冷却后，加入 5 滴食用色素，揉捏至光滑。

技能点睛

玩橡皮泥有助于宝宝体验物体的形状和质地，同时还可以刺激她的感官，加强其精细动作能力。教宝宝使用一些基本的描述物体颜色、形状和质地的词语，可以扩大宝宝的词汇量。

✓	理解因果关系
✓	创意表达
✓	精细动作能力
✓	语言发展
✓	感官探索

◀ 如果宝宝喜欢这个游戏，家长可以让她再试试第234页的"沙滩游戏"。

·艺术欣赏·探索游戏·想象力游戏·户外游戏·触觉游戏·

鞋子大配对

整理不同尺码的鞋

技能点睛

这个简单的组合游戏通过让宝宝区分鞋子的大小和材质方面的差异，培养了宝宝早期的分类技能。和宝宝讨论问题，能扩大宝宝的词汇量。而让宝宝猜测不同种类的鞋有哪些用途，能够提高他解决问题的能力。

| 分类技能 | ✓ |
| 语言发展 | ✓ |

如果宝宝喜欢这个游戏，家长可以让他再 ▶ 试试第340页的游戏"彩色汽车对对碰"。

很多分类游戏都会让小宝宝不知所措，甚至灰心丧气，但 2 ~ 2.5 岁的宝宝常常急切地想尝试一下简单的分类整理任务——尤其是整理爸爸妈妈的鞋子更能让他们兴奋不已。你可以选择颜色、尺码、样式差别较大的鞋，比如大人的靴子、宝宝的鞋、大人的棉拖鞋，然后让宝宝把鞋子配成对。找到成对的鞋子后，问问宝宝这是什么款式的鞋、是谁的鞋、适合什么时候穿。如果有合适的鞋盒，有些宝宝会觉得更容易整理。

哪些鞋应该放在一起呢？在这个具有挑战性的整理游戏中，宝宝们会成功地将家里的鞋配好对，然后放在一起。

神秘的声音

找到声音的来源

这是什么声音？是从哪里发出来的？这些问题会让你家的"小侦探"全身心地投入一场听力捉迷藏游戏。找一个可以长时间播放音乐的玩具或者其他可以发出声音的物品（比如厨房用的计时器或者钟表），把它藏在一个较低的架子、桌子或者橱柜里。和宝宝一起确定声音的来源并找出发声的物品。在寻找的过程中，你可以让宝宝猜猜这个神秘的声音是什么玩具或者物品发出来的。

技能点睛

宝宝喜欢猜谜，这个游戏有助于提高宝宝的听觉能力。根据声音判断物品的位置，能教会宝宝利用排除法找到正确答案——让宝宝更深刻地意识到学习过程中需要经过思考和猜测。

用耳朵去寻找声音的来源或许是"小侦探"最爱玩的猜谜游戏了。

✓ **听觉能力**

✓ **解决问题的能力**

如果宝宝喜欢这个游戏，家长可以让她再试试第343页的游戏"扩音器"。▶

311

娃娃物语

学习照料别人

技能点睛

　　宝宝总是通过观察父母的行为，学习如何友善地对待他人或者动物。你可以做宝宝的榜样，和她一起照顾洋娃娃（或者动物），教她使用适当的话语和姿势，让宝宝在游戏中学会付出自己的爱心。

创意表达	✓
精细动作能力	✓
想象力	✓
听觉能力	✓
社交能力	✓

看着宝宝温柔地和她的洋娃娃、泰迪熊以及其他玩具一起玩耍，你一定会被感动。但有时她的热情会过头，或许还显得比较粗鲁——尤其是和小动物或者小朋友一起玩耍的时候。你可以在宝宝和她想象中的朋友相处时，通过和宝宝的互动让她学习如何照顾、体贴他人。

● 让宝宝抱着她心爱的洋娃娃或者毛绒玩具，教她轻轻地给洋娃娃梳头发或者把洋娃娃抱在怀里轻轻摇晃。借助毛绒玩具教宝宝该怎样轻轻地抚摸小动物才会让它们感觉舒服。

● 告诉宝宝洋娃娃或者泰迪熊感觉很冷，让她帮洋娃娃穿上鞋袜和暖和的衣物，这样洋娃娃就会感觉暖和一点儿（或许宝宝需要你帮她为娃娃扣纽扣），或者给泰迪熊盖上毛茸茸的毯子，让它感觉舒服些。

● 你还可以教宝宝给洋娃娃或者动物喂食，因为它们一天都没有吃饭，肯定很饿了。你可以让宝宝给洋娃娃喂玩具食物，也可以给她一个勺子和一小盘麦片或葡萄干——这些东西比较容易清理。

● 宝宝抱着娃娃哄它睡觉时，你不妨和宝宝一起唱一支摇篮曲，然后让宝宝轻轻地把洋娃娃放在床上。

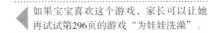

如果宝宝喜欢这个游戏，家长可以让她再试试第296页的游戏"为娃娃洗澡"。

研究报告

很多成人都在劳神费力地纠正自己的语法错误，可是让我们感到脸红的是，一个 3 岁左右的孩子说出的句子中 90% 在语法上都是正确的。即便是那 10% 的错误也是因为孩子们太急于使用语法而造成的。比如，在汉语中我们通常会在名词的末尾加上"们"来表示复数，比如孩子们、学生们。但是为什么宝宝说"我想要三个洋娃娃们"的时候，我们却会笑话她呢？其实，宝宝正是严格按照语法规则说的呀！

爸爸在教女儿怎么照料娃娃的同时也给女儿上了重要的一课——怎样关爱他人。

彩色串球

分类、旋转、计数游戏

技能点睛

这个简单的游戏通过区别不同的颜色、大小，提高了宝宝的分类技能。此外，这个游戏还为家长提供了一个好机会，你可以向宝宝介绍一些表示比较的词语，比如，大、更大、最大。

串 在绳子上的彩色旋转球一定会吸引宝宝的眼球，因为他们喜欢色彩鲜艳而且旋转不停的东西。除了好玩，这个游戏还可以教给小宝贝一些重要的概念。首先，用一根细绳将一些带有小洞的彩球串起来（很多玩具商店都能买到这种彩球）。然后，将绳子紧紧地系在两把椅子之间。向宝宝演示如何旋转彩球、如何把球从绳子的一端滑到另一端。最后，让宝宝只旋转某种颜色的球或者只旋转大球。

分类技能	✓
认知发展	✓
协调性	✓
语言发展	✓

如果宝宝喜欢这个游戏，家长可以让他再试试第319页的游戏"水靶子"。

让色彩鲜艳的彩球飞快地旋转起来，宝宝会觉得非常有趣。与此同时，宝宝也可以学会辨认不同的颜色（比如蓝色和红色），学到"大"和"小"、"多"和"少"的概念。

315

30 个月及以上

$2\frac{1}{2}$

你家的"小投手"把球投进去了，溅起朵朵水花——宝宝的协调能力必须达到一定水平，才能把球扔进盆里。

水靶子

击中目标，水花飞溅

水、球、投掷、溅起水花……这样的游戏也许会让家长和宝宝的身上湿漉漉的，但是只要宝宝开心就好。找两三个大塑料盆，在盆内装入一半水。收集一些小球，最好是能漂在水面上的球——比如塑料球或者乒乓球。让宝宝把球投入盆中，最后看看每个盆里能投入多少个球。宝宝每投一次你都要为她鼓掌，哪怕没有投中也无所谓。如果宝宝的投掷水平提高了，就可以增加游戏的难度，让她离盆远一点儿。

技能点睛

这个戏水游戏可以提高宝宝的手眼协调能力和大运动能力。同时也是一种教宝宝数数的有趣方法。（"进了1个、进了2个。看！投进3个球啦！"）

✓	协调性
✓	计数概念
✓	手眼协调能力
✓	大运动能力

如果宝宝喜欢这个游戏，家长可以让她再试试第326页的游戏"弹起来喽！"

初级小画家

激发艺术潜能

技能点睛

宝宝 30 个月大的时候才开始意识到自己能够创造一些东西，不论是用彩笔涂鸦，还是拿着颜料刷乱抹乱画都是他的作品。让宝宝随心所欲地涂涂画画可以培养他的自信心，帮助他表达自己的想法。把日常生活用品变成美术工具有助于开发宝宝的创造力，还能增强他的精细动作能力和手眼协调能力。

创意表达	✓
手眼协调能力	✓
精细动作能力	✓
触觉刺激	✓

宝宝的年龄还太小，不会画人物，也不会画风景，那他在画什么——你可能根本辨认不出来。但是每个宝宝的内心都潜藏着艺术天分，他们跃跃欲试，渴望一展身手。你应该给宝宝准备好颜料和适合他的小手操作的简单工具，帮助孩子释放自由创作的灵感。

● 把几种无毒的颜料（比如蛋彩画颜料）放入小碗或者烤盘里。准备几种绘画工具，比如画笔、橡皮刮刀和剪成不同形状的海绵。

● 告诉宝宝怎样蘸颜料、怎样在纸上涂抹颜料（也许就是把海绵在纸上滚几下，或者拿着刷子在纸上刷几下）。然后让他随意去画，体验不同的颜色和设计。记住，对这个年龄段的宝宝来说，没有什么对错之分——要让他随心所欲，想怎么画就怎么画，而不是遵照你的要求。

● 如果宝宝需要你的指导，那你就先在纸上画一些不同的形状（比如圆形、正方形、三角形、长方形），尽量画得大一些，然后让宝宝为其填充颜色——但不要指望他能将颜色全都涂在边线里面。

● 请你不要因为害怕脏乱、嫌麻烦而放弃这份快乐。游戏时，只需把大张的纸贴在容易清洗的平面上就可以了（比如餐桌或厨房的地板上）。记住，等你家的"小毕加索"完成大作之后要给他洗个澡。

如果宝宝喜欢这个游戏，家长可以让他再试试第335页的游戏"彩色拼贴画"。▶

"爸爸，看我画的是什么？是一辆消防车！"开发宝宝的创造力就像在纸上涂抹颜料一样简单。

"我找到泰迪熊啦!"

拿着手电筒，到黑乎乎的地方去寻宝。让宝宝在黑暗中使用手电筒，会令她更加兴奋，同时也会让游戏更具挑战性。

趣味手电筒

寻找隐藏在黑暗中的玩具

拿着手电筒四处挥舞，会让很多宝宝兴奋不已。因为有了这件工具，他们不但可以战胜黑暗，还可以让周围的环境变个样。

● 晚上，把宝宝最喜欢的玩具，比如洋娃娃、一本书或是泰迪熊藏起来。把寻找范围控制在一两个房间里，这样宝宝找起来就没那么困难了。

● 告诉宝宝要找的东西，关上灯（或者只是把光线调暗一些），然后给宝宝一个手电筒（记得先告诉宝宝怎么使用手电筒），当然你也要拿一个手电筒。

● 为了让游戏更好玩、更有趣，你可以给宝宝提供一些线索。如果宝宝还是找不到，而且看起来有点儿沮丧，你就可以用手电筒发出的光引导她走到藏东西的地方。

● 如果能有更大一点儿的孩子加入游戏或者能有几个孩子一起玩，那就更棒了。因为这样你就可以一次藏起好几样东西—— 一些藏在比较隐蔽的地方——然后看着孩子们举着手电筒你照我、我照你，那也是很有趣的。

技能点睛

寻找物品就是将一个困难抛给宝宝，让她集中精力想办法解决困难。第一步，自然是听你描述所藏的物品，这时宝宝需要有一定的理解能力。第二步，她必须想一想自己的玩具可能藏在哪里——这种抽象思维的形成是宝宝的一大进步。这个适合夜间玩的游戏还能缓解黑暗带给宝宝的恐惧和负面情绪。

✓	**听觉能力**
✓	**解决问题的能力**
✓	**社交能力**
✓	**视觉记忆**

◀ 如果宝宝喜欢这个游戏，家长可以让她再试试305页的游戏"包中宝贝"。

天性与教育

我们是带着与生俱来的能力、缺陷和性格特征降临到这个世界上的，还是我们出生后不过是一张白纸，必须经历后天的打磨才能形成自我？究竟是天性主导，还是教育更重要？在很多科学家看来，不断涌出的有关大脑研究的新成果终于解决了这个由来已久的老问题。结论是什么呢？二者平分秋色。

几十年来，行为学研究表明：人类具有的攻击性、容易害羞、乐于冒险等特征是由基因遗传的。如此看来，在这场旷日持久的争论中，自然的力量（即天性）似乎成了赢家。然而神经学专家却证明：人类的大脑在出生时并未发育完善，环境因素会对人的个性发展产生巨大的影响——有时甚至会改变大脑的特征。20世纪90年代，科学家们终于消除了这两个因素之间非此即彼的对抗格局，结论是：尽管人类生来就具有某些倾向和能力，但是这些特质的发展程度取决于一个人的经历，尤其是他幼年时期的经历。正如神经病学专家安·巴尼特在其与丈夫理查德·巴尼特合著的著作《最年轻的头脑》中提到的那样："行为遗传学家估计，先天遗传因素和后天环境因素的比例大约为50∶50。"

这个观点带给家长一个重要启示。一方面，这意味着如果宝宝天生就有某种行为偏好，家长可以帮助她克服这种倾向——比如，如果宝宝很容易害羞，你可以帮助她变得更外向一点儿；如果宝宝太过冲动，你可以教她学会控制自己的情绪。另一方面，如果宝宝有某种天赋，比如出色的音乐才能或者艺术天分，但是后天没有得到悉心培养，那么这种才能也不会彰显出来。

宝贝跳起来

随着节拍摇摆

让小家伙随着欢快的节拍跳一跳、扭一扭，有助于宝宝掌握节拍，增强其动作的灵活性。让宝宝坐在你的膝盖上，与你面对面，你要一边唱一边用脚和着旋律踏出节拍。当歌曲中的"跳蚤蝇"向高处飞时，你也要把宝宝高高地举起；当歌曲中的"跳蚤蝇"向低处飞时，你只需稍稍把宝宝举一下。演唱第二节时，在把宝宝时高时低举起的同时还要轻轻地摇一摇他（摇晃不要太剧烈，否则会有危险）。你也可以自己增加一些动作——比如拍一拍、挥挥手。宝宝站稳后，你可以边唱边拍手，让他随着你唱的节奏跳一跳、扭一扭。

如果宝宝喜欢这个游戏，家长可以让他再试试第330页的游戏"泰迪熊之歌"。▶

妈妈的怀抱很安全。伴随着欢快的节拍，宝宝上下飞跃，乐得哈哈大笑。

"The Flea Fly Song"
（跳蚤蝇之歌）

One flea fly flew up the flue, and the other flea fly flew down.	一只跳蚤蝇沿烟道向上飞，另一只跳蚤蝇向下飞。
One flea fly flew up the flue, and the other flea fly flew down.	一只跳蚤蝇沿烟道向上飞，另一只跳蚤蝇向下飞。
One flea fly flew up the flue, and the other flea fly flew down, in the spring time and the fall.	一只跳蚤蝇沿烟道向上飞，另一只跳蚤蝇向下飞，在春天和秋天。
They were only playing flue fly. They were only playing flue fly. They were only playing flue fly, in the springtime and the fall.	它们只是在玩烟道飞，它们只是在玩烟道飞，它们只是在玩烟道飞，在春天和秋天。

✓ 听觉能力

✓ 节奏感

325

弹起来喽！

球和降落伞的奇妙组合

技能点睛

　　这个游戏能够挑战宝宝身体的协调性和视觉的敏锐性。宝宝必须和你同步将毯子抖起来，才能把球高高抛起。同时宝宝还要一直盯着球，才能准确地用毯子接住球。玩这个游戏前不仅需要做一些准备，还需要有一定的合作意识——当然，想要接住球，宝宝还需要好好练习。

　　无论是夏天还是冬天，室内还是室外，一个沙滩球——或者一个比较轻的小球——就能给宝宝带来无尽的欢乐。玩这个游戏的时候，家长和宝宝要分别抓住毯子或迷你降落伞的两端，把沙滩球放在中间，然后向上抛，在球下落时用降落伞接住它。开始的时候要轻轻颠球，以免球被抛得太高，等宝宝能够很好地和你配合后，你们就可以把球抛得高一点儿了。

球弹起、落下，宝宝开心极了。这个游戏可以锻炼肌肉在运动中的协调性。

理解因果关系	✓
脚眼协调能力	✓
手眼协调能力	✓

◀ 如果宝宝喜欢这个游戏，家长可以让她再试试第275页的游戏"接住沙滩球"。

纸片拼图

将纸片拼起来

如果宝宝喜欢玩拼图和形状配对游戏，你就可以通过一些简单的拼图游戏来强化宝宝理解、分辨形状的能力，加强他的空间认知能力。找一张宝宝喜欢的彩色图片，比如动物图片、卡车图片、娃娃图片或者画有他最爱的食物的图片（杂志上有大量这样的图片）。然后把图片粘到信纸大小的纸或者硬纸板上，并将其剪成4大片。接下来，让宝宝将图片恢复原样。如果宝宝成功地完成了任务，你还可以将图片剪得更小些，以增加游戏的难度。

技能点睛

这个游戏不仅可以培养宝宝的空间意识，还能让宝宝对喜欢的图片进行创造和再创造（这也是对视觉记忆的测试），成功后他会有信心挑战更高难度的拼图。

- ✓ 认知发展
- ✓ 解决问题的能力
- ✓ 分辨大小和形状的能力
- ✓ 视觉分辨能力
- ✓ 视觉记忆

两片两片地将4片图片拼成一张蝴蝶图，宝宝现在已经可以完成这种难度的拼图了。

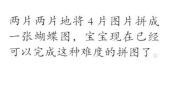

熟悉的气味

嗅觉之旅

技能点睛

这个游戏能进一步训练宝宝的感官能力。带着宝宝走进"气味王国"，可以让他了解大千世界的各种气味——不管是宜人的芳香气味，还是呛鼻难闻的气味。教会他描述不同气味的词语，告诉他散发这些气味的物体名称，这样可以扩大宝宝的词汇量。

当宝宝边吃饼干边微笑的时候、当他见到西蓝花就撅起小嘴的时候，你就知道宝宝已经具备了味觉分辨能力。不过他的嗅觉如何呢？这个闻味认物的游戏可以帮助宝宝把气味与食物联系起来。

● 准备一些宝宝熟悉的且气味浓郁的食物，比如巧克力饼干、橙子和洋葱。

● 用手帕或围巾蒙住宝宝的双眼（或者直接将双手蒙在宝宝的眼睛上），让宝宝深吸一口气（不准他偷看），猜猜能发出这种气味的是什么食物。然后，让他尝尝这种食物，帮助宝宝更好地将食物和气味联系在一起。

● 宝宝掌握了上述技能后，再准备一些气味差别没那么大的食物。比如，测测宝宝能否区分桃和苹果、饼干和蛋糕、柠檬和橘子。

● 你还可以借助户外的气味来做这个游戏。比如，看看宝宝能否嗅出花、松子、潮湿的泥土和常见植物的气味。

● 让宝宝分辨你家附近可能闻到的气味，比如面包店里新出炉的面包的气味、餐厅里烤鸡的气味或是路边摊铺上时令水果的气味。

语言发展	✓
解决问题的能力	✓
感官探索	✓
视觉记忆	✓

如果宝宝喜欢这个游戏，家长可以让他再试试第306页的游戏"摸一摸，告诉我"。▶

"你现在闻到的东西是什么啊？"

呃！生洋葱辛辣刺鼻的气味很容易闻出来，但是这些橙子片呢？

泰迪熊之歌

宝们都喜欢泰迪熊，而那些与泰迪熊有关的儿歌的节奏和旋律对他们也有着永恒的吸引力。让宝宝坐在你的腿上，你要随着歌曲的节拍轻轻地晃动双腿，同时鼓励她跟你一起唱，或者陪宝宝一起（和她的毛绒玩具）做出相应的动作。

The Bear（小熊之歌）

The bear went over the mountain,	小熊翻过了山岭，
the bear went over the mountain,	小熊翻过了山岭，
the bear went over the mountain,	小熊翻过了山岭，
to see what he could see.	它能看见什么呢？
And all that he could see,	它能看见的，
and all that he could see,	它能看见的，
was the other side of the mountain.	就是山的另一面。
The other side of the mountain,	山的另一面，
the other side of the mountain,	山的另一面，
was all that he could see.	就是小熊能看见的。

Teddy Bear, Teddy Bear（泰迪熊，泰迪熊）

Teddy bear, teddy bear, turn around.	泰迪熊呀泰迪熊，转呀转呀转圆圈。
	（唱这一句时跟宝宝一起转圈。）
Teddy bear, teddy bear, touch the ground.	泰迪熊呀泰迪熊，摸呀摸呀摸地板。
Teddy bear, teddy bear, shine your shoes.	泰迪熊呀泰迪熊，看呀看呀看鞋子。
	（伸出一只脚。）
Teddy bear, teddy bear, that will do.	泰迪熊呀泰迪熊，这样就行了。
Teddy bear, teddy bear, go up stairs.	泰迪熊呀泰迪熊，上楼去。
...say your prayers.	……做祈祷。
...turn out the light.	……关了灯。
...say good night.	……说晚安。

Marching Bears（前进中的小熊）

 "The Saints Go Marching In"
（圣者的行进）

Oh when the bears go marching in,	看，小熊们正在前进，
oh when the bears go marching in,	看，小熊们正在前进，
oh, how I want to be a big teddy,	哦，我多渴望变成泰迪，
when the bears go marching in.	与它们一起大步前进。
	（和宝宝一起向前走。）
Oh when the bears go jumping in,	看，小熊们正在跳跃，
oh when the bears go jumping in,	看，小熊们正在跳跃，
oh, how I want to be a big teddy,	哦，我多渴望变成泰迪，
when the bears go jumping in.	与它们一起自由跳跃。
	（上下跳跃。）
Oh when the bears go wiggling in. . .	看，小熊们正在摆动……
	（摆动身体。）
Oh when the bears go tiptoeing in. . .	看，小熊们踮着脚尖……
	（踮起脚尖在屋子里转圈。）
Oh when the bears go hopping in. . .	看，小熊们蹦来蹦去……
	（两脚并拢跳。）

Bears Are Sleeping（小熊睡觉）

 "Frère Jacques"
（中文曲目《两只老虎》）

Bears are sleeping,	小熊睡觉，
bears are sleeping,	小熊睡觉，
in their caves,	在山洞，
in their caves.	在山洞。
Waiting for the springtime,	等着春天到来，
waiting for the springtime.	等着春天到来。
Shh! Shh! Shh!	请安静！
Shh! Shh! Shh!	请安静！

爸爸的膝盖是表演二重唱最完美的场所。这些儿歌有助于发展宝宝的语言能力和听觉能力。

331

瞄准目标

定点着陆

技能点睛

跳跃运动能促进宝宝身体两侧肌肉的发育，增强身体左右两侧的协调性。这个游戏能够与那些只能锻炼一侧肢体的游戏（比如扔球）完美地结合。对于年龄较大的幼儿，跳跃还可以加强他们的脚眼协调能力和平衡能力，因为宝宝需要跳到他的眼睛所看到的位置，而且在落地后必须保持身体直立。

学会跳跃是宝宝的一个巨大的进步，因为跳跃需要协调性、一定的力量和胆量。跳跃也是让宝宝兴奋不已的一项技能：看看小家伙跳进积聚着一大摊雨水的坑后那张兴奋的小脸你就知道了。你不妨帮她变换跳跃的形式，为宝宝设定一个跳跃目标，比如稳固的小凳子、结实的小墩子或者一个安全的着陆垫（请务必保证宝宝能落在柔软的或者有铺垫的表面），这样的游戏可以增强宝宝的信心。

● 把一张大手工纸或者彩纸作为靶子，并用强力胶将其粘在地板上，以免宝宝落地时纸靶子滑动。鼓励宝宝准确地跳到靶子上——要想成功恐怕得多练习几次。别忘了给宝宝鼓掌加油哦！

● 随着宝宝跳跃能力的不断增强，逐步将靶子变小；或者让宝宝从稍微高一点儿的地方向下跳（当然要确保安全第一）。

● 对于这样的跳跃，有些宝宝可能感到紧张。你可以亲自给她示范几次，以缓解宝宝的焦虑，或者在宝宝跳跃时握着她的手。一旦宝宝对自己的跳跃能力信心十足，她就会瞄准靶心一次次地尝试。

平衡能力	✓
脚眼协调能力	✓
大运动能力	✓
空间意识	✓

如果宝宝喜欢这个游戏，家长可以让她再试试第 337 页的游戏 "转圈圈"。

准备好了吗？预备，跳！
这样跳起来"兜风"的运
动能促进宝宝的肌肉发育，
增强她的脚眼协调能力。

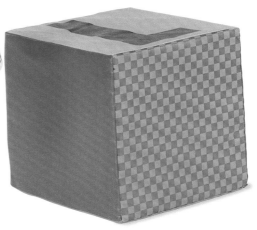

调查报告

　　制作拼贴画这样的体验活动可以激发宝宝的创造力，同时对他的成长也至关重要。美国得克萨斯州休斯敦贝乐医学院的研究人员发现，那些失去玩具和玩伴（包括看护人）的宝宝的大脑比正常宝宝的小 20%~30%。想要更好地刺激宝宝大脑的发育，其实并不需要父母给宝宝买很多高科技的小玩意或者价格昂贵的玩具。由美国阿拉巴马大学开展的一项大范围研究发现，简单的玩具（比如美术用品、积木和拼图）其实是促进宝宝认知及身体发育最好的玩具。

彩色拼贴画

搜集有趣的图片

即便年龄很小，宝宝也一样会有明确的喜好。比如，他可能很喜欢音乐或动物，对园丁或厨师的工作很着迷。你可以帮助他用各种各样的图片来制作一幅趣味盎然的拼贴画，鼓励他发展自己的兴趣爱好。

● 从杂志、报纸甚至垃圾信件里搜集宝宝感兴趣的彩色图片，将它们放在篮子里。

● 让宝宝仔细观察，说一说自己拿的是什么图片。你可以问宝宝图片中的东西是什么（比如小提琴、鲸鱼、花或者蓝莓麦芬）。

● 让宝宝挑出他最喜欢的图片，并将其放在一张较厚的大纸上（比如手工纸）。

● 给宝宝示范如何将儿童（无毒）胶水涂在图片背面，然后将其粘在大纸上来制作拼贴画。

● 可以将完成后的拼贴画挂在显眼的地方，比如宝宝的卧室里、冰箱上或者门厅里。宝宝创作的艺术作品是供人欣赏的，可不能藏起来哦！

技能点睛

让宝宝自己挑选图片并制作拼贴图，能给他提供一个自由表达自己喜好的机会。鼓励宝宝讨论图片的内容能帮助他扩大词汇量。教宝宝用胶水将图片粘贴在纸上有助于锻炼他的精细动作能力。

✓ **创意表达**

✓ **精细动作能力**

✓ **语言发展**

✓ **视觉分辨能力**

"我喜欢海豚，因为它们生活在大海里。"在宝宝完成艺术创作的同时，你也可以对宝宝有更进一步的了解，因为这些作品能反映宝宝的个性和喜好。

如果宝宝喜欢这个游戏，家长可以让他再试试第327页的游戏"纸片拼图"。

漂亮的箱子

装饰玩具箱

技能点睛

这个游戏不仅可以激发宝宝的创造力，而且还能让宝宝充分地表达自己的喜好。游戏将素描、彩绘、涂色和拼贴结合在一起，这样宝宝可以接触不同的艺术形式。此外，这个游戏还能优化宝宝的精细动作能力，提高她的社交能力，尤其是当家长一边和宝宝装饰盒子，一边鼓励宝宝参与讨论的时候。

创意表达	✓
精细动作能力	✓
社交能力	✓

让宝宝把装着她的宝贝的玩具箱装饰得更漂亮，能充分体现宝宝的艺术天赋（尽管只是初级的）。找一个无色无图案的硬纸箱或者彩色纸箱（用白纸将彩色的纸箱包起来），然后给宝宝准备些可以涂画的记号笔和蜡笔，让她能在箱子上随意画些线条或圆圈。帮宝宝在箱子上粘上亮片、彩带或是从杂志、报纸上剪下的图片。你可以先确定一个主题（比如海洋），然后鼓励宝宝展开想象，在箱子上贴上波浪、小鱼、小船和沙滩球的图案。宝宝的作品完成后，记得让她把名字签在这个特殊的盒子上。

让宝宝自由选择蜡笔和贴纸，让她自己动手装扮出一个漂亮的百宝箱。

如果宝宝喜欢这个游戏，家长可以让她再试试第 320 页的游戏"初级小画家"。

转圈圈

唱着儿歌转圈圈

让宝宝随着这首儿歌的节拍舞动起来，这种将歌唱与有活力的动作结合起来的游戏可谓趣味十足。连唱几次儿歌《转圈圈》，并让宝宝按照歌词的内容做出夸张的动作，比如唱到"高高跳起来呀"时就要高高地跳起。"我们一起跳！"你家的小宝宝肯定喜欢模仿你的动作。这个游戏可以让宝宝更好地控制自己的身体，从而发展他的大运动能力。跟着儿歌跳舞还能加强宝宝对"上"、"下"、"左"、"右"这些方位词的理解。

随着音乐的旋律舞动，能帮助宝宝更好地控制自己的身体。

"Turn Around"（转圈圈）

 "Frère Jacques"（中文曲目《两只老虎》）

按照歌词内容做动作。开始要唱得慢一点儿，以便宝宝能理解自己所做的动作。

Turn around,	转个圈圈，
turn around,	转个圈圈，
touch your toes,	摸摸脚，
touch your toes.	摸摸脚。
Do a little jumping,	高高跳起来呀，
do a little jumping.	高高跳起来呀。
Squat real low.	蹲下去，蹲下去。

✓	平衡能力
✓	协调性
✓	大运动能力

◀ 如果宝宝喜欢这个游戏，家长可以让他再试试第 282 页的游戏 "从头到脚"。

迷你情景剧

茶话会开演啦

技能点睛

宝宝喜欢做成人所做的任何事情。这个情景模拟游戏足以让宝宝进入一个想象的世界。与宝宝合作完成各项任务——就算只是假想的——这有助于提高宝宝的社交能力，让她学会分享、给予并表示感谢。

身体感知能力	✓
创意表达	✓
创造性动作	✓
想象力	✓
社交能力	✓

宝宝是不是经常喜欢模仿你的一举一动呢？那就让她参与到成年人的活动中来，和你一起表演各种有趣的情景吧。

● 举行一次没有茶具的茶话会。假装沏一壶茶、端一盘点心，然后边喝茶边吃点心。在此过程中记得要说"请"、"谢谢"和"真好吃"等礼貌用语，让宝宝在游戏中学会讲礼貌，同时也能使茶话会变得更加生动有趣。

● 不用平底锅和原料来烤一个大蛋糕。假装将鸡蛋打开并与面粉充分混合，然后将面糊倒入平底锅里。完成所有工序后别忘了拍掉手上的面粉哦！最后享用一块美味的蛋糕吧！

● 还可以模拟开飞机、打扫房间或者骑在马上奔跑的情景。

"茶真香呀!"

虽然只是在模拟喝茶,但这个游戏可以激发宝宝的想象力,同时也能教会她表达自己的想法,比如"好的,请再来一杯吧"、"非常感谢"。

彩色汽车对对碰

色彩配对游戏

技能点睛

　　准确将颜色配对不仅有助于锻炼宝宝的眼力、能让他区别不同的物体，还能训练他的思维能力——将具有相同特点（这个游戏中，相同特点是颜色）的不同事物联系起来。当宝宝把玩具汽车放到对应颜色的纸上时，家长要在一旁大声重复颜色的名称，以扩大宝宝的词汇量。

2 岁的宝宝都对颜色非常感兴趣，而且也愿意辨别不同的颜色。这个游戏很好地利用了宝宝对颜色的兴趣，进一步强化了他识别色彩的能力。准备不同颜色的纸——与宝宝所有玩具汽车的颜色——对应，把纸铺在地上，同时大声说出纸的颜色。接着，将玩具汽车放在与之颜色相同的纸上（比如，把红色汽车放在红色纸上，黄色汽车放在黄色纸上）。然后，把它们混合在一起，让宝宝把车"开"到对应颜色的"停车场"。

找到正确的"停车场"可以帮助宝宝发现不同物体的相同之处。

分类技能	✓
认知发展	✓
解决问题的能力	✓
视觉分辨能力	✓

如果宝宝喜欢这个游戏，家长可以让他再试试第 349 页的游戏"形状分拣工"。▶

滑稽小脸

谈论感受

你的宝宝已经开始对情绪有所认知——他有时候高兴，有时候生气，有时候伤心。勺子木偶游戏可以帮助他分辨不同的感情，并能让他以适当的方式表达自己的感情。在3个木勺子上分别画出高兴、伤心和生气的表情。你也可以用手工纸将勺子打扮一番：给它贴上"头发"、"胡子"或者"打个领结"。通过勺子木偶向宝宝表达不同的感情，或者让勺子木偶之间互诉情绪。面带微笑的勺子木偶会说："哦，宝贝！我今天要去动物园啦！"面带怒色的勺子木偶会说："不，我不想穿外套！"同时鼓励宝宝表达自己的情绪。

技能点睛

也许就在几个月前，你的宝宝还只会用一种方式表达难过的情绪——哭。可现在他已经长大了，能用语言表达不同的情绪。而勺子木偶游戏正可以教给他如何进行这样的对话。不知你有没有发现，最近宝宝变得越来越像家里的"小皇帝"了。那不妨试用笑脸勺子来向他示范一下，如何礼貌地向大人要一杯水而不是蛮横索要。

✓	**认知发展**
✓	**创意表达**
✓	**语言发展**
✓	**社交能力**

通过游戏宝宝往往更容易表达自己的情绪——因此，你可以让宝宝对着勺子木偶说出自己内心的情绪。

341

宝宝的语言

正如宝宝天生就有学习语言的本能一样，父母也会自发地通过各种方式促进宝宝这项重要技能的发展。在世界各地的文化中，父母们都会自然而然地采用一种高声调、慢节奏、重复性、吟唱式的方式对着婴幼儿讲话。语言学家将这种说话方式称为"父母语"（*Parentese*）。现在人们普遍认为，这种说话方式便于宝宝学习语言——这种包含韵律的简练语言可以让宝宝将词语与它所代表的事物更快地联系在一起，同时它还为宝宝提供了简化的语法和学习诸多语法规则时所需的重复。

父母还可以给予宝宝其他的帮助。正如第223页的研究报告中强调的那样，经常和宝宝聊天这个简单的行为，对于扩大宝宝的词汇量是至关重要的——即使对那些不会说话的宝宝也是一样。玛丽安·戴梦德博士和珍妮特·霍普森博士在其著作《儿童智力发育的五大里程碑》，中建议："不管你能想到什么都可以告诉婴幼儿，要让你的宝宝浸润在语言之中。"让宝宝指着书中的图片，重复你说的单词、句子，还可以增加一点儿背景音乐，从而将她牢牢吸引，延长宝宝集中注意力的时间。

在一个真实且充满感情的情景中引入新的词语也是非常重要的。比如，将表示时间的词语"现在"和"之后"与宝宝吃他最喜欢的零食和他去公园的时间联系在一起的话，他就会更快地明白这些词语的意思并将其记住。告诉宝宝房间里每样东西的名称、车里的通行证是干什么用的、市场里有些什么……这样不仅可以满足宝宝无穷无尽的好奇心，还能扩大他的词汇量。宝宝在满2岁前，会将自己学到的这些词语从嘴里一涌而出。最后，别忘了亲身教育的好处：把宝宝抱在怀中，跟他聊聊天或是一起阅读故事，不仅可以增加你与宝宝之间亲密的肢体接触、培养你与宝宝之间的感情，还能加快他学习语言的速度。

扩音器

有趣的隆隆声

现 在她说起话来已经很流利了，而且既可以轻轻地小声嘀咕（当她给泰迪熊"讲故事"的时候），又可以高声尖叫（当她被迫离开游乐场的时候）。你可以用纸质扩音器放大宝宝的声音、训练她的听觉能力。将一张大厚纸卷起来，然后让宝宝从纸卷较细的一端说话，这样就可以改变她声音的音色、方向和音量。拿着扩音器反复大声说话、轻声细语，或者用它放大歌声和笑声。

技能点睛

宝宝在玩耍时会自然而然地发现自己的感官功能，但是这个游戏可以让宝宝更加专注地探索倾听和发声的乐趣。而且动手制作玩具还有助于拓展宝宝的创造力。宝宝是天生的表演家（所以"小人来疯"常常能取悦客人）。

快来听一听：宝宝非常喜欢用这个纸制扩音器来扩大她说话的音量。

✓	理解因果关系
✓	创意表达
✓	听觉能力
✓	感官探索

如果宝宝喜欢这个游戏，家长可以让她再试试第 354 页的游戏"动物表演家"。▶

彩带舞

随着彩带翩翩起舞

技能点睛

  教宝宝跳舞的时候，你可以用上彩带，这样她就会更清楚地意识到该怎样挥动胳膊、转动身体才能让彩带飘起来。这个游戏能锻炼宝宝的大运动能力，增强其身体的协调性。圆环发出的响声还可以激发宝宝的节奏感和创造力。

宝宝已经很喜欢跳舞了，但是加上几条带有圆环的轻盈彩带，她转起圈来就会觉得更加奇妙、乐趣无边。

- 动手为宝宝制作彩带舞的道具：从家中找 2 个小圆环（比如刺绣用的小绷圈），从商店买十几根彩带——也可把旧床单剪成 30 ~ 64 厘米长的细条，将每条彩带的一端紧紧地系在圆环上。

身体感知能力	✓
协调性	✓
创造性动作	✓
大运动能力	✓
节奏感	✓

- 告诉宝宝这些彩带的颜色，问问她最喜欢哪个颜色。

- 教宝宝一边跳舞一边挥舞彩带：可以上下挥舞，也可以左右挥舞。

- 播放你和宝宝都喜欢的音乐，与宝宝一起随着节奏挥舞彩带，让彩带飘起来。

- 把彩带放在地上，绕着彩带跳舞或者绕着彩带前后左右地跳来跳去。别忘了鼓励宝宝用这个漂亮的新道具来段即兴表演。

宝宝在屋子里旋转跳舞时，一定会爱上这些五颜六色、上下纷飞的彩带。

◀ 如果宝宝喜欢这个游戏，家长可以让她再试试第 288 页的游戏"纱巾飘飘"。

放大镜

小眼看大世界

技能点睛

透过放大镜观察事物是帮助孩子欣赏大自然的绝佳途径。当树叶不再是简简单单的一片树叶，而是一个布满了有趣线条的迷宫或者当一只小昆虫突然显露出眼睛、腿和嘴巴的时候，你的宝宝就会明白，原来大自然是这么丰富而神奇。帮助她描述所看到的物体也有助于扩大宝宝的词汇量。

认知发展	✓
语言发展	✓
分辨大小和形状的能力	✓
触觉刺激	✓
视觉分辨能力	✓

当宝宝有机会透过放大镜观察物体时，她会发现，普普通通的岩石和松果也能变成迷人的景观模型。

放大镜可以激发宝宝对这个世界的好奇心，能够帮助她换个角度认识世界。透过放大镜，小小的沙粒看起来好像是彩色的石子、看似平整的绿叶上原来还有细细的纹路。看到这些，宝宝一定会惊叹不已。

● 带着宝宝外出散步，开启一次全新的探险之旅。教她如何使用放大镜观察不同的物体，比如树叶、岩石、小草、花朵、沙子，甚至昆虫，并让她仔细观察它们。宝宝细心观察时，鼓励她摸摸那些东西，然后帮助宝宝用最恰当的词语描述它们。

● 告诉宝宝"大"和"小"的概念。（比如，如果我们没有拿着放大镜观察，鹅卵石是很小的，现在，你看它变得多大呀！）不过你千万要记得，在晴天时外出要加倍当心，以免阳光透过放大镜晒伤宝宝的皮肤或是点燃物品。

- 你也可以带宝宝在室内四处看看。让她用放大镜仔细观察一下毯子、面包、盆栽、毛绒玩具和宠物身上的毛。让宝宝讲一讲自己看到的东西，当她不知该用什么词语形容时，你不妨提示她一下。

- 放大镜也可以让宝宝进一步了解我们的身体。让宝宝观察一下自己的脚趾、手指或者是你的眼睛和舌头。

347

雨声筒交响曲

探索大自然的声音

技能点睛

当宝宝还处于婴儿阶段的时候，他总喜欢用小手去抓摇铃之类能够发出响声的玩具。现在，通过这个游戏他可以听听雨声筒制造出的雨声，并将其和真正的雨声进行比较，这样可以增强宝宝的听觉能力。

看到下雨、听着雨声，宝宝们大多对此十分着迷，那毕竟是从天而降神奇之水。只要用雨声筒你就能随时模拟"哗啦啦"的雨声。你可以在乐器店买到木制的雨声筒，也可以在玩具店买到彩色的塑料雨声筒。当然，你还可以自己动手制作雨声筒：将一杯大米倒进海报包装筒里，然后把包装筒的两端密封起来。给宝宝读关于雨的故事或者唱关于雨的歌曲时，鼓励宝宝慢慢地翻转雨声筒。在雨天，让宝宝听听真正的雨声，然后鼓励他用自己的雨声筒制造出类似的声音，并比较两种声音有什么相似之处。

创造性动作	✓
听觉能力	✓
感官探索	✓

◀ 如果宝宝喜欢这个游戏，家长可以让他再试试第311页的游戏"神秘的声音"。

宝宝翻转雨声筒，会发出"哗啦啦"的声音，这能够让宝宝感知雨的世界和声音的节奏。

形状分拣工

识别形状并将其一一归类

这 个游戏能帮助宝宝轻松快速地识别不同形状。收集一些球形和方形的东西，并将它们混合到一起。取一个圆盆和一个大方盒，让宝宝将所有球形的东西都放在圆盆里，将所有方形的东西都装进方盒里。在游戏过程中宝宝可能出错，但是有了你的帮助，他很快就能熟练地把不同形状的东西区分开来并一一归类。

将球形和方形的物体放入与之形状相似，但体积较大的容器里，这样宝宝就能分清楚物体的形状和大小了。

技能点睛

这种分类游戏能强化宝宝的基本技能：根据特征识别并划分物体——本游戏中的特征是形状。此外，宝宝还会明白，即使是形状相同的物体也会有不同的大小（也就是说，小球是圆形的，盆也是圆形的，但是圆盆比小球大）。

✓	分类技能
✓	认知发展
✓	分辨大小和形状的能力

如果宝宝喜欢这个游戏，家长可以让他再试试第 351 页的游戏"树叶排排队"。▶

349

数一数、找一找

物体对对碰

技能点睛

　　找出隐藏的物体能增强宝宝的自信心（所以不要把物品藏得太隐蔽哦）。在宝宝找出物品的同时大声数数，这样宝宝既能了解数字的顺序，又能了解基本的加法概念。让宝宝找到几分钟前见过的物品可以增强他的视觉记忆。

计数概念	✓
视觉分辨能力	✓
视觉记忆	✓

◀ 如果宝宝喜欢这个游戏，家长可以让他再试试第 323 页的游戏"趣味手电筒"。

所有孩子，无论大小，都喜欢寻找藏起来的东西——不论是宝宝的摇铃、妈妈的脸，还是藏在爸爸口袋里的饼干。多准备几样东西让宝宝寻找，这样宝宝在玩游戏的同时也能学习数数。你需要收集 3 件或 3 件以上的相似物品，比如杯子、鞋、木勺或者彩球。先给宝宝看看你收集到的东西，然后把它们藏在家中不同的位置（注意："藏"东西时要露出物品的一小部分，这样宝宝可以比较容易地找到），让宝宝想办法将它们找出来。每当宝宝找到一件物品，你就要大声地数一个数并为他的胜利而鼓掌。如果你想要增加游戏的难度，不妨藏起更多成对的物品让宝宝寻找。

"再找一件"，你可以在寻宝游戏中引入数字概念，寓教于乐。

树叶排排队

按照大小分类

宝宝通常喜欢给自己的东西做记号（"那是我的勺子"），还喜欢把他的东西分成几类（"这些是我的帽子，那些是我的鞋"）。家长可以利用宝宝的这个兴趣特点——喜欢对物品做标记并进行分类——来做采集树叶并将其分类的游戏。收集一些大小不同的树叶——小的、中等的和大的，然后从这 3 种树叶中各取出一片，分别将其贴在纸袋或小盒子外面，把其余的树叶混合在一起。让宝宝按照大小把树叶放进正确的袋子或者盒子里。宝宝一边分类，你一边给他讲有关树叶的故事，比如树叶是从哪里来的、它们是什么颜色的。

如果你觉得去户外收集树叶很麻烦，不妨用彩色手工纸剪一些大小各异的纸树叶。

技能点睛

分类游戏对宝宝来说非常有趣，因为这是让他安排甚至控制周围事物的一种方式。这个游戏能够让宝宝了解"大"和"小"的概念，从而帮助宝宝识别不同物体的大小。讲述有关树叶的故事还可以教会宝宝关于颜色和大小的词语，同时也给他上了一堂生动的自然课。

- ✓ 分类技能
- ✓ 认知发展
- ✓ 语言发展
- ✓ 分辨大小和形状的能力

全都归位了吗？想让宝宝充分理解"大"、"中"、"小"的概念，分拣树叶可是个很棒的方法。

拿着鸡毛掸子给家具除尘是宝宝们都很想做的家务，所以不妨让这个小帮手和你一起工作，给枯燥的家务活注入乐趣。干完活后记得要表扬宝宝哦！

研究报告

　　你在扫地或者擦洗桌面时，有没有想过宝宝能给这些枯燥的家务活带来什么影响？很多家长都惊讶于宝宝为什么对这些日常杂事充满热情。其实早在 1 个世纪前，意大利的医生兼教育家玛丽亚·蒙台梭利就已经阐述了让宝宝做家务的意义和价值，此外她还针对幼儿早期教育提出了很多革命性的观点。她认为，这种分享家务活的做法能激发宝宝的责任感和自尊心，同时也能让宝宝感到自己为家庭或者班级作出了贡献。如今，世界各地有上千所教育机构以蒙台梭利教育理论为基础开展教学活动，教室里有小水池、小笤帚、小拖布等清洁工具，就连学前班的孩子也要贡献自己的力量，做一些力所能及的事情。

有样学样

模仿成人的一举一动

宝宝是不是常常会像你那样挎着手提包，还会学你说话的样子对着宠物讲话？宝宝这样的行为有时候会让你觉得很高兴，但有时候又会让你觉得很尴尬。你真的会用呵斥的口气说"快放下"吗？现在，你可以有意识地让宝宝模仿你的一些活动——在此过程中还能完成一些家务活。

● 鼓励宝宝帮助你干些力所能及的家务活，比如清理院中的树叶、擦拭灰尘、清扫地面、搭建鸟笼或者修理破损的楼梯。你可以让她使用小一点儿的工具，如果让她使用大人的工具，一定要保证宝宝的安全，或者就让她用玩具工具来完成工作。宝宝会非常乐意成为你的小帮手。

● 如果家里有宠物，可以让宝宝给宠物喂食、梳理毛发、洗澡、带它玩耍。这样她不仅能学到新的技能，而且还能学着像你照顾她那样去照顾宠物。

● 如果宝宝主动提出帮你干活，花园是个理想的地方。你可以演示一下如何播种，然后让宝宝动手试一试。一段时间后，如果宝宝忘了自己曾在花园里播撒过种子，等到植物发芽时，你可以给她一个意外惊喜，让你家的"小园丁"看看自己的劳动成果。

● 干活的时候不妨来点儿音乐——一边劳动一边吹口哨或唱歌。

技能点睛

宝宝需要通过观察他人——尤其是爸爸妈妈——来学习新的技能。与宝宝一起玩这个互动游戏是教给宝宝做日常家务活的绝佳方法（虽然现在还不适合给她安排一些复杂的家务活）。这个游戏能够增强宝宝的自信心，因为在游戏过程中她要扮成爸爸妈妈做一些家务活。让宝宝模仿你的声音和动作能增强她的听觉及视觉能力，而随时相伴的音乐又能培养宝宝的节奏感。

✓	协调性
✓	大运动能力
✓	听觉能力
✓	角色扮演
✓	听觉能力

◀ 如果宝宝喜欢这个游戏，家长可以让她再试试第338页的游戏"迷你情景剧"。

动物表演家

模仿小动物

技能点睛

让宝宝像狮子那样追踪目标、像大象那样甩鼻子或者像小鸟那样飞行……要想完成这样的动作，宝宝需要有一定的平衡能力和协调性，而且还要有力量。让宝宝扮演动物能激发她的想象力，同时也能培养她对这个世界上其他生物的感情。

认知发展	✓
创造性动作	✓
大运动能力	✓
想象力	✓

宝宝会冲着狗"汪汪"乱叫、会跟小猫一起爬来爬去，还会因为看到动物园里的各种动物而兴奋不已，甚至做出奇怪的表情。宝宝们非常喜欢动物，喜欢它们的一举一动。教宝宝模仿动物能帮助她发现并欣赏动物的美。

● 先和宝宝一起看书或杂志里的动物图片，然后讲讲动物们的行为举止——怎么走路、吃什么、住在哪里、怎样交流等。你也可以拿出宝宝的毛绒玩具，告诉她这些小动物如果是真的，它们会怎样生活。

不管看见什么动物，你的宝宝都喜欢去模仿，这样做不仅有益于培养宝宝的想象力，还能让她变得更加敏捷灵巧。

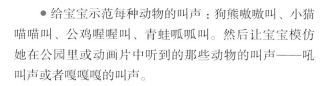

● 给宝宝示范每种动物的叫声：狗熊嗷嗷叫、小猫喵喵叫、公鸡喔喔叫、青蛙呱呱叫。然后让宝宝模仿她在公园里或动画片中听到的那些动物的叫声——吼叫声或者嘎嘎嘎的叫声。

● 你也可以给宝宝示范一下各种动物的动作：鸭子一扭一扭地走路，马儿在田野上快步小跑，青蛙在荷叶上跳来跳去，猴子在树枝间攀爬跳跃，大象用长鼻子从树上扯下树叶。让宝宝模仿这些动物的动作——扭来扭去、小跑、跳跃、摆动胳膊、伸展手脚。

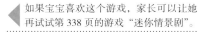

如果宝宝喜欢这个游戏，家长可以让她再试试第 338 页的游戏"迷你情景剧"。

词汇表

357